Gramática Ativa 1

3.ª Edição Atualizada e Aumentada

Isabel Coimbra
Olga Mata Coimbra

LISBOA – PORTO
e-mail: lidel@lidel.pt
http://www.lidel.pt (Lidel *online*)
(*site* seguro certificado pela Thawte)

Da mesma Editora:

— **PORTUGUÊS XXI**
Curso de Português Língua Estrangeira estruturado em 3 níveis: iniciação, elementar e intermédio.
Componentes: Livro do Aluno + CD áudio, Caderno de Exercícios e Livro do Professor.

— **PRATICAR PORTUGUÊS**
Atividades linguísticas variadas, destinadas a alunos de Português Língua Estrangeira de nível elementar e/ou intermédio.

— **COMUNICAR EM PORTUGUÊS**
Livro de exercícios para o desenvolvimento da comunicação oral. Inclui CD áudio com a gravação de todos os textos.

— **OLÁ! COMO ESTÁ?**
Curso intensivo de Português Língua Estrangeira destinado a adultos ou jovens adultos.
Componentes: Livro de Textos, Livro de Atividades (que contém um Caderno de Vocabulário) e CD áudio duplo.

— **VAMOS LÁ COMEÇAR!**
Explicações e exercícios de gramática e vocabulário em 2 volumes (nível elementar).

— **NOVO PORTUGUÊS SEM FRONTEIRAS 1**
Destina-se a aprendentes principiantes, cobrindo as estruturas gramaticais e lexicais básicas do nível de iniciação e elementar. Inclui CD áudio duplo que contém as gravações dos diálogos, textos e exercícios de oralidade.

— **QUAL É A DÚVIDA?**
Livro de exercícios destinado a alunos de nível intermédio, intermédio alto e avançado.

— **GUIA PRÁTICO DOS VERBOS PORTUGUESES**
Manual prático de conjugação verbal. Inclui verbos com preposições e particularidades de conjugação de alguns verbos no Brasil. Contém cerca de 12.000 verbos.

— **GUIA PRÁTICO DE VERBOS COM PREPOSIÇÕES**
Dicionário de verbos com preposições e os seus respetivos significados. Contém mais de 1.800 verbos com preposições.

— **LER PORTUGUÊS**
Coleção de histórias originais de leitura fácil e agradável, estruturada em 3 níveis.

— **PORTUGUÊS ATUAL 1**
Destina-se ao ensino/aprendizagem de Português Língua Estrangeira, níveis A1 e A2, e pretende ser um livro de apoio, na sala de aula e/ou em trabalho autónomo. Inclui ainda um CD áudio.

— **ENTRE NÓS 1 e 2**
Método de Português Língua Estrangeira que contempla os níveis A1, A2, B1 e B2. Cada conjunto de materiais pressupõe entre 100 a 120 horas de trabalho, englobando o trabalho na sala de aula e o estudo autónomo.

— **NA ONDA DO PORTUGUÊS 1 e 2**
Projeto pedagógico destinado ao ensino de Português Língua Estrangeira e Português Língua Segunda, dirigido a jovens alunos, que privilegia uma abordagem comunicativa por competências e tarefas.

— **GRAMÁTICA ATIVA 1 – Versão Brasileira**
Destina-se ao ensino de Português Língua Estrangeira ou Português Língua Segunda e contém explicações claras e aplicação prática das principais estruturas dos níveis elementar e pré-intermédio – A1, A2 e B1.

EDIÇÃO E DISTRIBUIÇÃO

Lidel – edições técnicas, lda.

ESCRITÓRIO: Rua D. Estefânia, 183, r/c Dto. – 1049-057 Lisboa
Internet: 21 354 14 18 – livraria@lidel.pt
Revenda: 21 51 14 43 – revenda@lidel.pt
Formação/Marketing: 21 351 14 48 – formacao@lidel.pt/marketing@lidel.pt
Ensino Línguas/Exportação: 21 351 14 42 – depinternacional@lidel.pt
Fax: 21 357 78 27 / 21 352 26 84
Linha de Autores: 21 351 14 49 – edicoesple@lidel.pt
Fax: 21 352 26 84

LIVRARIAS: LISBOA: Av. Praia da Vitória, 14 – 1000-247 Lisboa – Telef. 21 354 14 18 – Fax 21 317 32 59 – livrarialx@lidel.pt
PORTO: Rua Damião de Góis, 452 – 4050-224 Porto – Telef. 22 557 35 10 – Fax 22 550 11 19 – delporto@lidel.pt

Copyright © janeiro 2011
Lidel – Edições Técnicas, Lda.
ISBN: 978-972-757-638-8

Reimpressão de outubro de 2012
Pré-Impressão: REK LAME Multiserviços Gráficos & Publicidade, Lda.
Impressão e acabamento: Printer Portuguesa – Indústria Gráfica, Lda.
Depósito Legal: 349612/12

Ilustrações: Pedro Alves/re-searcher.com
Capa: José Manuel Reis

Índice

Índice

A **Gramática Ativa 1** destina-se ao ensino/aprendizagem de Português Língua Estrangeira (PLE) e Português Língua Segunda (PL2) e contempla as principais estruturas dos níveis elementar e pré-intermédio – **A1**, **A2** e **B1**

A presente edição da **Gramática Ativa 1**, em formato mais alargado, apresenta um *design* moderno e apelativo bem como novas ilustrações de suporte à compreensão.
A nível do conteúdo, apresenta novas unidades, para introdução de novas áreas/ estruturas; unidades totalmente reformuladas, para uma melhor exposição da estrutura/área apresentada; unidades desdobradas, para aprofundamento e alargamento da estrutura/área apresentada; atualização dos contextos socioculturais; novos exercícios.

A presente edição da **Gramática Ativa 1** divide-se em 54 unidades de duas páginas cada, contendo explicações gramaticais e respetiva exemplificação à esquerda, página par, e exercícios de aplicação da(s) estrutura(s) apresentada(s) à direita, página ímpar.

A **Gramática Ativa 1** não está orientada para ser um livro de curso de PLE / PL2. Trata-se de material suplementar, a ser usado na sala de aula ou em casa e, como tal, o livro não deverá ser trabalhado do princípio ao fim, seguindo a ordem numérica das unidades; estas devem ser selecionadas e trabalhadas de acordo com as dificuldades do utilizador/aprendente.

A **Gramática Ativa 1** inclui ainda três apêndices – lista de verbos; pronomes pessoais; plural dos nomes e adjetivos – bem como a chave dos exercícios.

Eu **sou** médico.
Eu **não sou** enfermeiro.

Ele é **alto**.
Ele **não é** baixo.

Nós **somos** portugueses.
Nós **não somos** brasileiros.

ser	

afirmativa		negativa	
eu	**sou**	eu	não **sou**
tu	**és**	tu	não **és**
você ele ela	**é**	você ele ela	não **é**
nós	**somos**	nós	não **somos**
vocês eles elas	**são**	vocês eles elas	não **são**

☐ **nacionalidades**

— Vocês **são** portugueses?
— Eu **sou** português, mas ele **é** timorense.

☐ **profissões**

Sou professor e o meu irmão **é** engenheiro.

☐ **estado civil**

Ela **é** casada.

☐ **origem** (de + nome (local))

— **És** de Lisboa?
— Não, **não sou** de Lisboa. **Sou** de Faro.

☐ **posse** (de + nome)

O dicionário **é** do professor.

☐ **tempo cronológico**
(horas; dias da semana; datas)

— Que horas **são**?
— **É** uma hora.

☐ **matéria** (de + nome)

A mesa **é** de madeira.

☐ **situação geográfica** (sujeito fixo)

Maputo **é** em Moçambique. **É** a capital de Moçambique.

☐ **nome**

Eu e a Joana **somos** boas amigas.

☐ **adjetivo**

O João **é** muito inteligente.

1.1. Complete com **sou** / **és** / **é** / **somos** / **são**.

1. ele _____   3. eu _____   5. tu _____   7. você _____   9. eu e tu _____
2. nós _____   4. vocês _____   6. ela _____   8. eles _____   10. tu e elas _____

1.2. Complete com **sou** / **és** / **é** / **somos** / **são**.

1. A rosa _é_ uma flor.
2. Eu _____ portuguesa e o João _____ brasileiro.
3. A mala _____ muito pesada.
4. Estas malas _____ muito pesadas.
5. Tu e a Ana _____ colegas.
6. Que dia _____ hoje?
7. Hoje _____ segunda-feira.
8. A minha avó _____ viúva.
9. Tu _____ bom aluno.
10. O Manuel e a mulher _____ advogados.
11. O copo _____ de vidro.
12. A senhora _____ do Porto?
13. Eu e o Pedro _____ estudantes.
14. Lisboa _____ em Portugal.
15. Ela _____ uma rapariga simpática.

1.3. Faça frases completas com **sou** / **és** / **é** / **somos** / **são**.

1. (estes exercícios / muito fáceis) *Estes exercícios são muito fáceis.*
2. (o futebol / um desporto muito popular) _____
3. (tu / não / espanhol) _____
4. (elas / boas alunas) _____
5. (esta casa / moderna) _____
6. (nós / secretárias) _____
7. (o teste / não / difícil) _____
8. (estes CD / da minha irmã) _____
9. (a minha secretária / de madeira) _____
10. (aquela camisola / não / cara) _____
11. (tu e o Miguel / amigos) _____
12. (eu / magro) _____
13. (a caneta / da Lúcia) _____

1.4. Faça frases afirmativas ou negativas.

1. (Lisboa / a capital de Portugal) *Lisboa é a capital de Portugal.*
2. (eu / alemão) *Eu não sou alemão.*
3. (o cão / um animal selvagem) _____
4. (a gasolina / muito cara) _____
5. (o avião / um meio de transporte rápido) _____
6. (Portugal / um país grande) _____
7. (nós / estrangeiros) _____
8. (hoje / quarta-feira) _____
9. (este prédio / muito alto) _____
10. (os Alpes / na Ásia) _____
11. (a minha camisola / de lã) _____
12. (vocês / economistas) _____
13. (esta mala / pesada) _____
14. (o André e ele / amigos) _____
15. (o rio Tejo / em Portugal) _____

Eu **estou** na escola.   Tu **estás** em casa.   Ela **está** contente.   Ele **está** triste.

Hoje **está** muito frio.

Eles **estão** com sono.

estar	
eu	**estou**
tu	**estás**
você ele ela	**está**
nós	**estamos**
vocês eles elas	**estão**

☐ **advérbio de lugar**
☐ **em + local** (sujeito móvel)

O dicionário **está** ali.
Os meus amigos **estão** no estrangeiro.
O Ricardo não **está** em Lisboa. **Está** de férias no Algarve.
O livro **está** em cima da mesa.

☐ **tempo meteorológico**
☐ **adjetivo** (característica temporária)

Está muito calor lá fora.
A sopa **está** quente.
Este bolo não **está** muito bom.
Hoje **estou** cansado.
Eles **estão** sentados à mesa.
A janela **está** aberta.

☐ **com + nome** (= ter + nome)

Estou com sede, mas não **estou** com fome.

☐ **cumprimentar**

— Como **está**?
— **Estou** bem, obrigado.

Unidade 2

2.1. Complete com **estou** / **estás** / **está** / estamos / **estão**.

1. tu _____
3. ele _____
5. ela _____
7. eu _____
9. eles _____

2. você _____
4. nós _____
6. vocês _____
8. tu e ela _____
10. eu e ele _____

2.2. Complete com **estou** / **estás** / **está** / estamos / **estão**.

1. O tempo _____ muito bom.

2. Ela _____ em casa, mas os filhos _____ na escola.

3. — Como _____ a senhora?

   — _____ bem, obrigada.

4. Eu _____ com frio. Pode fechar a janela, por favor?

5. O dinheiro _____ dentro da carteira.

6. Os livros _____ na pasta.

7. Este bolo _____ ótimo.

8. Eles _____ sentados à mesa.

9. Os meus sapatos _____ sujos.

10. O Sr. Matos _____ no Porto.

11. As lojas _____ abertas ao sábado.

12. Ela _____ muito cansada e _____ com sono.

13. Eu e a Ana _____ de férias.

14. O trabalho já _____ pronto.

2.3. Faça frases completas com **estou** / **estás** / **está** / estamos / **estão**.

1. (o médico / no hospital) *O médico está no hospital.*

2. (hoje / muito calor) _____

3. (os meus amigos / na escola) _____

4. (eu / na sala de aula) _____

5. (a sopa / não / muito quente) _____

6. (tu / cansado) _____

7. (lá fora / muito frio) _____

8. (o José / deitado / porque / doente) _____

9. (o almoço / pronto) _____

10. (o cão / não / com fome) _____

11. (eu e a Rita / com sono) _____

12. (a D. Graça / não / no escritório) _____

13. (ela / de férias) _____

14. (eles / à espera do autocarro) _____

15. (vocês / não / em casa) _____

ser *vs.* estar

Ele **é** de Lisboa, mas agora **está** no Porto.

São 10 horas da manhã e já **está** tanto calor!

ser e estar seguidos de adjetivo

ser + adjetivo

☐ característica geral do sujeito que não necessita de ser experimentado para se poder afirmar ou negar essa característica.

A água do mar **é** salgada.
O limão **é** azedo.

estar + adjetivo

☐ característica do sujeito que teve de ser experimentado para se poder afirmar ou negar essa característica.

A sopa **está** salgada.
O leite não **está** bom, **está** azedo.

ser + adjetivo

☐ característica que não é resultado de uma ação.

O vestido **é** novo.
Ela **é** loura.
Ele **é** inteligente.

estar + adjetivo

☐ característica que resultou de uma ação.

O vestido **está** roto. (porque alguém o rompeu)
Hoje **estou** cansado. (porque trabalhei muito)

3.1. Complete com **ser** ou **estar**.

1. O quadro da sala _____ limpo.
2. O pai _____ em casa.
3. Os prédios _____ altos.
4. O banco _____ fechado.
5. Os meus primos _____ do Norte.
6. A caneta _____ em cima da mesa.
7. O nosso professor _____ muito simpático.
8. Eu _____ cansada.
9. O Manuel _____ doente.
10. Eles _____ no restaurante.
11. Ela não _____ atrasada.
12. O Jorge _____ um rapaz muito inteligente.
13. A sopa _____ boa, mas _____ fria.
14. A minha casa _____ grande.
15. A Cátia e o Afonso _____ em Inglaterra.

3.2. Faça frases completas com **ser** ou **estar**.

1. (hoje nós / não / em casa à noite) _____
2. (eu / cansado) _____
3. (a minha mulher / professora) _____
4. (o Rui / com fome) _____
5. (tu / atrasado) _____
6. (esta sala / muito escura) _____
7. (eu / não / com sede) _____
8. (ela / de Lisboa) _____
9. (de manhã / muito frio) _____
10. (a Luísa / no estrangeiro) _____
11. (a mesa / de vidro) _____
12. (os bolos de chocolate / sempre / muito doces) _____

3.3. Faça frases completas com **ser** e **estar**.

1. (a janela / larga // fechada)
   A janela é larga.
   A janela está fechada.
2. (o quadro / muito interessante // na parede)
   _____
   _____
3. (as mesas / grandes // sujas)
   _____
   _____
4. (o supermercado / grande // aberto)
   _____
   _____
5. (o empregado / simpático // cansado)
   _____
   _____
6. (ele / inteligente // contente)
   _____
   _____

estar a + infinitivo

Ela **está a ler**.
Ela não **está a comer**.

Está a chover.
Não **está a nevar**.

Eles **estão a trabalhar**.
Não **estão a conversar**.

realização prolongada no presente
estar a + infinitivo

eu	estou	a trabalhar
tu	estás	a estudar português
você ele ela	está	a tomar um café
nós	estamos	a conversar
vocês eles elas	estão	a ler o jornal

passado ←————————— ▽ **agora** —————————→ futuro

◇ Usamos **estar a + infinitivo** para descrever uma ação que está a acontecer agora, neste momento.

Podem desligar a televisão. Não **estamos a ver**.

Chiu! As crianças **estão a dormir**.

Estou a estudar. Não posso ir com vocês.

O Daniel **está a responder** aos emails.

A Vera **está a fazer** o almoço.

Unidade 4

4.1. Complete as seguintes frases com os verbos listados:

brincar	tomar	chover	compreender	ver
estudar	beber	fazer	ler	chegar

1. Falem mais baixo! Eles *estão a estudar.* _____
2. A Ana faz anos hoje. A mãe dela _____ um bolo.
3. (ao telefone) – Posso falar com o João, por favor?
   — Ele _____ duche. Não pode atender!
4. Podes desligar a televisão. Eu não _____ .
5. Pode explicar outra vez? Nós não _____ o exercício.
6. Despachem-se! O comboio _____ .
7. — Onde está o Nuno?
   — Na cozinha. _____ água.
8. — Posso levar o jornal?
   — Agora não. Eu _____ as notícias.
9. Onde estão as crianças?
   — _____ no jardim.
10. É melhor levar o guarda-chuva. _____ .

4.2. O que é que está a acontecer neste momento? Faça frases verdadeiras.

1. (eu / estudar / português) *Eu estou a estudar português.* _____
2. (eu / fumar) *Eu não estou a fumar.* _____
3. (eu / ouvir música) _____
4. (hoje / chover) _____
5. (telefone / tocar) _____
6. (eu / ler o jornal) _____
7. (os meus colegas / fazer exercícios) _____
8. (eu / escrever) _____
9. (eu / tomar café) _____
10. (o professor / beber água) _____

4.3. O que é que eles estão a fazer?

1. apanhar sol

2. ver televisão

3. ler um livro

4. escrever um email

5. andar de bicicleta

6. atravessar a rua

presente do indicativo
verbos **regulares** em *-ar*

Ela **mora** em Lisboa.

Eles **jogam** ténis ao sábado.

Ele **toma** o pequeno-almoço às 8h00.

falar	
eu	fal**o**
tu	fal**as**
você ele ela	fal**a**
nós	fal**amos**
vocês eles elas	fal**am**

◇ Usamos o **presente do indicativo** para:

☐ **ações habituais**

Eu **levanto**-me sempre às 8h00.
Normalmente **almoçamos** às 13h00 e **jantamos** às 20h30.
O Sr. Ramos **compra** o jornal todos os dias.

☐ **constatar um facto**

A Terra **gira** à volta do Sol.
A Ana **fala** inglês muito bem.
As crianças **gostam** muito de chocolate.
Em Lisboa as lojas **fecham** às 19h00.
Ele **trabalha** muito.

☐ **ações num futuro próximo**

Telefono-te amanhã.
Os exames **começam** na próxima semana.

5.1. Escreva os seguintes verbos na forma correta:
1. falar / eu _____
2. morar / você _____
3. usar / tu _____
4. telefonar / ele _____
5. almoçar / nós _____
6. trabalhar / elas _____
7. pagar / vocês _____
8. tomar / eles _____
9. ficar / ela _____

5.2. Complete as frases. Use a forma correta dos seguintes verbos:

levantar	comprar	ficar	ensinar	fechar	morar	gostar
começar	lavar	acabar	usar	jogar	apanhar	

1. Em Portugal os bancos _____ às 15h00.
2. O João _____ o jornal todas as manhãs.
3. Nós _____ num pequeno apartamento.
4. Ela é professora e _____ português a crianças do 1.º ciclo.
5. _____ muito do meu trabalho.
6. Eles _____ futebol todos os domingos.
7. Nunca me _____ tarde.
8. Normalmente nós _____ em casa à noite.
9. Ele _____ o carro ao fim de semana.
10. O meu filho _____ óculos.
11. Ela _____ sempre o autocarro das 8h00.
12. O filme _____ às 21h30 e _____ às 23h00.

5.3. Complete com os verbos na forma correta.
1. Ela _____ piano muito bem. (tocar)
2. Nós _____ português. (falar)
3. Eu não _____ aos fins de semana. (trabalhar)
4. O Pedro _____ de futebol. (gostar)
5. Eles _____ na universidade. (andar)
6. O António e a Carla _____ medicina. (estudar)
7. Depois do almoço eu _____ sempre um café. (tomar)
8. Quem é que _____ a conta? (pagar)
9. Ele _____ aos pais todos os dias. (telefonar)
10. A que horas é que tu _____? (jantar)
11. Onde é que vocês se _____ hoje à noite? (encontrar)
12. Ela _____ bem na nova empresa. (ganhar)
13. As crianças _____ no parque todos os domingos. (brincar)

5.4. Faça frases como no exemplo.

	nunca	normalmente	sempre	raramente
tomar café à noite	Pedro			
comprar o jornal				tu
acordar às 7h00			nós	
almoçar em casa				eu
apanhar o autocarro das 8h00		Pedro e Ana		
jantar fora	vocês			

1. *Eu raramente almoço em casa.*
2. _____
3. _____
4. _____
5. _____
6. _____

presente do indicativo
verbos **regulares** em *-er*

Ele **vive** no Porto.

Eles não **compreendem** nada.

No inverno **chove** muito.

comer	
eu	com**o**
tu	com**es**
você ele ela	com**e**
nós	com**emos**
vocês eles elas	com**em**

☞	1.ª pessoa do singular
conhe**c**er	**eu conheço**, tu conheces…
des**c**er	**eu desço**, tu desces…
esque**c**er	**eu esqueço**, tu esqueces…
aque**c**er	**eu aqueço**, tu aqueces…
pare**c**er	**eu pareço**, tu pareces…
abran**g**er	**eu abranjo**, tu abranges…
prote**g**er	**eu protejo**, tu proteges…

— **Conheces** a irmã do Pedro?
— Não, não **conheço**.

Eu **bebo** café de manhã, mas ela **bebe** chá.

O elevador não **desce**. Está avariado.

No Sul de Portugal **chove** pouco.

Esqueço-me sempre do chapéu de chuva na escola.

Eles **vivem** em Macau.

As crianças **aprendem** línguas com facilidade.

Ele **escreve** para um jornal.

6.1. Escreva os seguintes verbos na forma correta:

1. escrever / você _____
2. compreender / ele _____
3. comer / nós _____
4. conhecer / eu _____

5. beber / tu _____
6. resolver / eles _____
7. descer / ela _____
8. aquecer / eu _____

9. viver / eu _____
10. correr / elas _____
11. aprender / vocês _____
12. esquecer / eu _____

6.2. Complete as frases com os verbos na forma correta.

1. Ao pequeno-almoço nós _____ (beber) café com leite e _____ (comer) pão com manteiga.
2. Vocês _____ (aprender) português numa escola de línguas?
3. Ela _____-se (parecer) muito com o pai.
4. Eles agora _____ (viver) no Porto.
5. No verão raramente _____ (chover).
6. Quando ele está de férias _____ (escrever) sempre aos amigos.
7. O texto é difícil. Eu não _____ (compreender) nada.
8. Quando o telefone toca, é sempre o filho que _____ (atender).
9. Tu _____-te (esquecer) sempre do nome dela.
10. Eu _____ (descer) esta rua todos os dias para apanhar o autocarro.
11. Ela não _____ (conhecer) a professora de português.
12. Quem é que _____ (responder) a esta pergunta?

6.3. Responda, usando só o verbo da pergunta.

1. — Comes pão com manteiga ao pequeno-almoço?
   — *Como.*

2. — Bebes café depois do almoço?
   — _____

3. — Resolves sempre os problemas?
   — _____

4. — Conheces o diretor da escola?
   — _____

5. — Aprendes línguas com facilidade?
   — _____

6. — Vives em Lisboa?
   — _____

7. — Chove muito no teu país?
   — _____

8. — Escreves à família quando estás de férias?
   — _____

9. — Atendes o telefone?
   — _____

10. — Compreendes bem este exercício?
    — _____

11. — Comem uns bolinhos?
    — *Comemos.*

12. — Bebem um sumo de laranja?
    — _____

13. — Correm todas as manhãs?
    — _____

14. — Vivem fora de Lisboa?
    — _____

15. — Conhecem o meu irmão?
    — _____

16. — Compreendem o texto?
    — _____

17. — Descem de elevador?
    — _____

18. — Aprendem bem línguas?
    — _____

19. — Resolvem-me o problema?
    — _____

20. — Recebem muitos emails?
    — _____

17

presente do indicativo
verbos **irregulares** em *-er*

Ela **vê** televisão
todas as noites.

Ele **lê** o jornal todos os dias.

Ela **faz** o pequeno-almoço
todas as manhãs.

verbos irregulares

	ver	ler	fazer	dizer	trazer	saber	poder	perder	querer	pôr
eu	**vejo**	**leio**	**faço**	**digo**	**trago**	**sei**	**posso**	**perco**	quero	**ponho**
tu	**vês**	**lês**	fazes	dizes	trazes	sabes	podes	perdes	queres	**pões**
você ele ela	**vê**	**lê**	**faz**	**diz**	**traz**	sabe	pode	perde	**quer**	**põe**
nós	vemos	lemos	fazemos	dizemos	trazemos	sabemos	podemos	perdemos	queremos	**pomos**
vocês eles elas	**veem**	**leem**	fazem	dizem	trazem	sabem	podem	perdem	querem	**põem**

Amanhã **trago**-te o DVD.

A Isabel **põe** sempre a mesa para o almoço.

Eu **faço** anos em abril e o João **faz** anos em maio.

Não **posso** sair, porque tenho de estudar.

Ele **sabe** falar muitas línguas.

Eles **dizem** que chegam amanhã.

Os meus filhos não **veem** televisão à noite.

Às vezes **perco** o autocarro das 8h00.

— **Querem** mais bolo?
— Eu **quero**, mas ele não **quer**.

— **Sabem** a que horas é o filme?
— Não, não **sabemos**.

— **Pode** dizer-me as horas, por favor?
— São 10h15.

— **Lês** bem as legendas, John?
— **Leio**, mas não compreendo tudo.

Unidade 7

7.1. Escreva os seguintes verbos na forma correta:

1. saber / eu _____
2. trazer / ele _____
3. ver / eles _____
4. dizer / eu _____
5. querer / nós _____
6. poder / eu _____
7. pôr / ela _____
8. ler / vocês _____
9. trazer / eu _____
10. querer / ela _____
11. ver / eu _____
12. ler / você _____
13. fazer / eu _____
14. ler / eu _____
15. pôr / eles _____
16. pôr / eu _____
17. fazer / ela _____
18. perder / eu _____
19. ver / elas _____
20. ler / vocês _____

7.2. Complete as frases com os verbos listados na forma correta.

pôr	fazer	ver	saber	ler	querer

1. — *Podes* _____ sair hoje à noite?
   — Hoje à noite não *posso* _____. Tenho de estudar.

2. Ao fim de semana eles _____ sempre a revista do *Expresso*.

3. A Ana e o Pedro _____ anos em janeiro.

4. O meu filho está no 1.º ano e já _____ ler.

5. Ela usa óculos, porque não _____ bem ao longe.

6. — Quem _____ mais café?
   — Eu _____.

7. — Quem é que _____ a mesa?
   — Ao almoço _____ eu; ao jantar é a Ana que _____.

7.3. Faça frases com o verbo na forma correta.

1. (ele / querer / outro café) *Ele quer outro café.*
2. (eu / nunca / ver / televisão) _____
3. (ela / fazer / anos / hoje) _____
4. (amanhã / eu / fazer / uma festa / em casa) _____
5. (eu / não / saber / o nome / dela) _____
6. (o Sr. Ramos / ler / o jornal / todos os dias) _____
7. (eu / trazer / uma prenda / para / a Ana) _____
8. (eu / não / poder / sair / à noite) _____
9. (eles / trazer / os livros / na pasta) _____
10. (eu / ler / o jornal / todos os dias) _____
11. (ela / saber / falar / muitas / línguas) _____
12. (a empregada / trazer / o pão / de manhã) _____
13. (hoje / eu / querer / ficar / em casa) _____
14. (ele / ver / mal / ao longe) _____
15. (eu / já / ler / o jornal / em português) _____
16. (eu / nunca / perder / o chapéu de chuva) _____

Ela **parte** amanhã
para Cabo Verde.

Eles **preferem** ir
ao cinema.

Ele não **consegue**
estudar com barulho.

abrir	
eu	abr**o**
tu	abr**es**
você ele ela	abr**e**
nós	abr**imos**
vocês eles elas	abr**em**

20

☞	1.ª pessoa do singular
v**e**stir	**eu visto**, tu vestes…
d**e**spir	**eu dispo**, tu despes…
s**e**ntir	**eu sinto**, tu sentes…
pref**e**rir	**eu prefiro**, tu preferes…
cons**egu**ir	**eu consigo**, tu consegues…
s**egu**ir	**eu sigo**, tu segues…
corr**igi**r	**eu corrijo**, tu corriges…
dir**igi**r	**eu dirijo**, tu diriges…

☞ verbos em *-uzir*, *3.ª pessoa do singular – desinência ø* (terminam no *z*.)

Tu nunca **admites** os teus erros.
Partimos para Timor na próxima semana.
Quando estou com frio, **visto** a camisola.
O professor **corrige** os exercícios amanhã.
As lojas **abrem** às 10h00.

— **Sentes**-te bem?
— **Sinto**-me doente.

Dispo o casaco, assim que entro em casa.
O professor **resume** a matéria no fim da aula.
Não **permitem** a entrada de animais na loja.
Aos sábados, **reúnem**-se todos em casa da Ana.
Ele **conduz** muito bem.
Nós **traduzimos** o texto para português.
Não **consigo** abrir esta janela.

Unidade 8

8.1. Escreva os seguintes verbos na forma correta:

1. abrir / eles _____
2. vestir / eu _____
3. dividir / nós _____
4. despir / eu _____
5. corrigir / eu _____
6. decidir / elas _____
7. conseguir / eu _____
8. servir / nós _____
9. sentir / eu _____
10. traduzir / tu _____
11. partir / ele _____
12. preferir / eu _____
13. dirigir / eu _____
14. discutir / eles _____
15. conduzir / nós _____
16. permitir / eu _____

8.2. Faça frases com o verbo na forma correta.

1. (eu / despir / o casaco) *Eu dispo o casaco.* _____
2. (o empregado / servir / o café / à mesa) _____
3. (ela / traduzir / romances / para inglês) _____
4. (o senhor / seguir / sempre / em frente) _____
5. (os bancos / abrir / às 8h30) _____
6. (ela / dividir / o bolo / com / os irmãos) _____
7. (eu / preferir / ficar / em casa) _____
8. (o avião / partir / às 17h00) _____
9. (tu / nunca / admitir / os teus erros) _____
10. (eu / não / conseguir / estudar / com barulho) _____
11. (no início da aula / o professor / introduzir / a matéria nova) _____
12. (eu / hoje / sentir-se / muito cansado) _____

8.3. Responda, usando só o verbo da pergunta.

1. — Sentes-te bem?
   — *Sinto.* _____
2. — Consegues estudar à noite?
   — _____
3. — Abres a porta?
   — _____
4. — Segues as instruções?
   — _____
5. — Despes o casaco?
   — _____
6. — Corrige-me o exercício, professor?
   — _____
7. — Serves-me um café?
   — _____
8. — Vestes camisolas no inverno?
   — _____
9. — Preferes ir ao cinema?
   — _____
10. — Dirige a orquestra, maestro?
    — _____
11. — Sentem-se bem?
    — *Sentimos.* _____
12. — Discutem a proposta amanhã?
    — _____
13. — Decidem até ao fim da semana?
    — _____
14. — Admitem empregados?
    — _____
15. — Partem hoje para a Guiné?
    — _____
16. — Conseguem estudar com barulho?
    — _____
17. — Traduzem o texto?
    — _____
18. — Preferem ficar em casa?
    — _____
19. — Despem os casacos?
    — _____
20. — Permitem animais neste local?
    — _____

Eles **vêm** juntos para a escola.

Ela **vai** pelas escadas.
Eles **sobem** de elevador.

O palhaço **cai** e as crianças **riem**.

verbos irregulares

	pedir	ouvir	dormir	subir	fugir	rir	ir	vir
eu	**peço**	**ouço/oiço**	**durmo**	subo	fujo	**rio**	**vou**	**venho**
tu	pedes	ouves	dormes	**sobes**	**foges**	ris	**vais**	**vens**
você ele ela	pede	ouve	dorme	**sobe**	**foge**	ri	**vai**	**vem**
nós	pedimos	ouvimos	dormimos	subimos	fugimos	rimos	**vamos**	**vimos**
vocês eles elas	pedem	ouvem	dormem	**sobem**	**fogem**	**riem**	**vão**	**vêm**

Durmo muito bem. Nunca **oiço** barulho.

— Já é tardíssimo, Pedro.
— **Peço** imensa desculpa pelo atraso.

Ela **sobe** sempre as escadas. Nunca **vai** de elevador.

Tu **foges** dos cães. Tens medo?
Ficas muito bonita quando te **ris**.
Eu **venho** já. **Vou** só ali comprar o jornal.

verbos em -*air*

	sair	cair
eu	**saio**	**caio**
tu	**sais**	**cais**
você ele ela	**sai**	**cai**
nós	**saímos**	**caímos**
vocês eles elas	saem	caem

verbos em -*uir*

	distribuir	construir
eu	distribuo	construo
tu	**distribuis**	**constróis**
você ele ela	**distribui**	**constrói**
nós	**distribuímos**	construímos
vocês eles elas	distribuem	**constroem**

☞ Os verbos *construir* e *destruir* mudam o **u** para **o**, na 2.ª e 3.ª pessoas do singular e na 3.ª pessoa do plural.

— Cuidado! Ainda **cais** daí.
— Não **caio** nada!

Nós **saímos** da escola às 13h00.
À noite eles nunca **saem**.

O cartelro **distribui** o correio.
Nós **substituímos** os filtros de ar regularmente.
A natureza **constrói** e o homem **destrói**.

9.1. Escreva os seguintes verbos na forma correta:

1. subir / eles _____
2. pedir / eu _____
3. fugir / nós _____
4. ouvir / eu _____

5. dormir / eu _____
6. sair / elas _____
7. rir / eu _____
8. cair / nós _____

9. fugir / eu _____
10. rir / tu _____
11. subir / ele _____
12. ir / vocês _____

13. ir / eu _____
14. vir / eles _____
15. ir / nós _____
16. vir / eu _____

9.2. Complete as frases com o verbo na forma correta.

1. Quando se abre a porta, o cão _____ (fugir) logo para a rua.
2. Todos se _____ (rir) das anedotas que ele conta.
3. Aos sábados, eu _____ (dormir) sempre até mais tarde.
4. Eles _____ (vir) ter connosco cá a casa.
5. Eu _____ (ir) ao concerto com a Rita.
6. — Senhoras e senhores, _____ (pedir) a vossa atenção, por favor.
7. Ele _____ (subir) às árvores como um macaco!
8. — Fala mais alto. Não _____ (ouvir) nada!
9. — A que horas é que tu _____ (sair) de casa?
10. No outono, as folhas _____ (cair) e as árvores ficam despidas.

9.3. Complete as seguintes frases com os verbos listados:

atribuir	constituir	contribuir	construir
destruir	distribuir	retribuir	substituir

1. Quando um professor está doente, há sempre outro que o _____.
2. Na noite de Natal, as pessoas _____ os presentes entre si.
3. A fábrica _____ peças para automóveis.
4. Nós _____ sempre para o peditório da AMI (Assistência Médica Internacional).
5. Todos os anos, a escola _____ um prémio ao melhor aluno.
6. Esta criança não tem cuidado nenhum com os brinquedos; _____ tudo!
7. Agradeço e _____ os votos de Boas Festas.
8. O meu filho _____ a exceção à regra: não gosta de chocolate!
9. Viste os títulos dos jornais? "Chuvas torrenciais _____ culturas no Sul do país."
10. O André _____ folhetos à porta do metro.
11. Com o dinheiro que ganha, _____ para ajudar os pais a pagar a universidade.

— O que é que a Ana **está a fazer**?
— A Ana **está a jogar** ténis.

— O que é que ela **faz** todos os sábados?
— Ela **joga** ténis todos os sábados.

Agora não posso sair. **Estou a trabalhar**.
Trabalho todos os dias das 9h00 às 18h00.
O João **está a tomar** o pequeno-almoço neste momento.
O João **toma** o pequeno-almoço todas as manhãs.
É melhor levar o chapéu de chuva. **Está a chover**.
No inverno **chove** muito.
Pode desligar o rádio. Não **estou a ouvir**.
Normalmente não **oiço** rádio.
Estudamos português todos os dias.

— O que é que **estão a fazer**?
— **Estamos a estudar**.

— A Ana **está a jogar** futebol?
— **Não, não está. Está a jogar** ténis.

— A Ana **joga** futebol?
— **Não, não joga. Joga** ténis.

◇ Usamos os seguintes verbos na forma simples:
querer / gostar / precisar / preferir / saber / esquecer-se / lembrar-se / ir / vir

— **Quer** um café?
— **Gosto** muito de café mas agora não **quero**, obrigado.

— **Sabes** o nome dela?
— Nunca **sei** o nome dela. **Esqueço-me** sempre.

— **Lembras-te** do nosso professor?
— **Lembro-me** muito bem.

Agora **prefiro** tomar chá.

Preciso de comprar um dicionário.

Vou para casa agora.

Venho sempre de autocarro.

10.1. Responda às seguintes perguntas:

| 1. Sou doméstica. | 2. Somos jornalistas. | 3. Sou professor. | 4. Sou secretária. | 5. Somos estudantes. |

1. O que é que ela faz todos os dias?

   (arrumar / a casa) *Ela arruma a casa todos os dias.*

   O que é que ela está a fazer agora?

   (lavar / o chão) *Agora está a lavar o chão.*

   Ela está a fazer as camas?

   Não, não está.

2. O que é que eles fazem?

   (fazer / reportagens) _____

   O que é que estão a fazer agora?

   (entrevistar / um político) _____

   Eles estão a escrever um artigo?

   Não, _____

3. O que é que ele faz?

   (ensinar / português) _____

   O que é que ele está a fazer agora?

   (corrigir / exercícios) _____

   Ele está a explicar os exercícios?

   Sim, _____

4. O que é que ela faz?

   (enviar / emails) _____

   O que é que ela está a fazer agora?

   (atender / o telefone) _____

   Ela está a falar com o chefe?

   Não, _____

5. O que é que eles fazem?

   (estudar / línguas) _____

   O que é que eles estão a fazer agora?

   (fazer / exercícios) _____

   Eles estão a estudar?

   Sim, _____

10.2. Complete as frases com o verbo na forma correta.

1. Desculpe, você *fala* _____ português? (falar)
2. Eles não _____ muito televisão. (ver)
3. Agora eu _____ o almoço. (preparar)
4. De manhã ela _____ café com leite e _____ pão com manteiga. (beber/comer)
5. Eles _____ futebol ao domingo. (jogar)
6. Hoje é domingo e eles _____ futebol. (jogar)
7. O que é que tu _____ agora? (fazer)
8. Vocês _____ de cinema? (gostar)
9. Podes desligar o rádio. Eu não _____. (ouvir)
10. Ele não pode atender o telefone. _____ duche. (tomar)

Eles **têm** um
apartamento
em Macau.

Ele **tem** 20 anos.

Ela **tem** frio.

Eles **têm** muitos
colegas na escola.

ter	
eu	**tenho**
tu	**tens**
você ele ela	**tem**
nós	**temos**
vocês eles elas	**têm**

☐ **falar de coisas que (não) possuímos**

A Tânia **tem** um computador portátil.
O Raul não **tem** carro.

☐ **falar acerca da família**

Tenho dois irmãos.

☐ **dizer a idade**

O meu irmão **tem** 18 anos e a minha irmã
tem 15.
Eu **tenho** 21 anos.

☐ **descrever pessoas ou coisas**

A Sónia **tem** olhos azuis.
A nossa casa **tem** 6 divisões e **tem** um
grande jardim.

☐ **falar de sensações** (ter + nome = estar com + nome)

Ele **tem** medo do cão.
Nunca **tenho** fome de manhã.

— O que é que **tens**?
— **Tenho** calor. Abre a janela, por favor.

☐ **constatar um facto**

O Sr. Ramos **tem** muito trabalho.

11.1. Complete com o verbo **ter** na forma correta.

1. eu _____
2. ele _____
3. nós _____

4. vocês _____
5. elas _____
6. tu _____

7. ela _____
8. eles _____
9. você _____

10. eu e a Sara _____
11. tu e o Zeca _____
12. a Ana e o João _____

11.2. Complete com o verbo **ter** na forma correta.

1. Eles _____ 3 filhos.
2. Nós _____ um apartamento em Lisboa.
3. Ela _____ medo de ratos.
4. Quem é que _____ uma caneta vermelha?
5. Eu _____ uma festa no sábado.
6. Hoje já não _____ tempo, mas amanhã falo com vocês.
7. Eles _____ sempre muitos trabalhos de casa e, às vezes, _____ dificuldade nos exercícios.
8. — Quantos anos _____ (tu)?
   — _____ 15 anos.
9. Ela _____ muitos problemas com os filhos. Às vezes já não _____ paciência.
10. Vou beber água, _____ muita sede.

11.3. Responda com o verbo **ter** na forma correta.

1. — Tens uma caneta preta? (não / ela)
   — *Não, não tenho, mas ela tem.*
2. — Tens irmãos? (sim / dois)
   — *Tenho. Tenho dois irmãos.*
3. — Vocês têm um dicionário? (não / ele)
   — _____
4. — A senhora tem filhos? (sim / três)
   — _____
5. — Tens um apartamento em Lisboa? (não / eles)
   — _____
6. — Ela tem irmãos? (sim / quatro)
   — _____
7. — Tem uma borracha? (não / o Hélder)
   — _____
8. — Vocês têm carro? (sim / dois)
   — _____
9. — O senhor tem um jornal? (não / ela)
   — _____
10. — Tu e a Ângela têm amigos? (sim / muitos)
    — _____
11. — Tens um lápis? (não / Pedro)
    — _____
12. — Vocês têm frio? (não / ele)
    — _____

Ontem à noite eles **foram** ao cinema.

O filme **foi** bom.

No fim de semana passado eu **fui** à praia.

No domingo passado eu **estive** com os meus amigos.

Ontem eu **tive** muito trabalho no escritório.

	ser	ir	estar	ter
eu	f**u**i	f**u**i	est**i**ve	t**i**ve
tu	foste	foste	estiveste	tiveste
você ele ela	f**o**i	f**o**i	est**e**ve	t**e**ve
nós	fomos	fomos	estivemos	tivemos
vocês eles elas	foram	foram	estiveram	tiveram

Na semana passada **estive** doente. **Tive** gripe.

Tenho aulas todos os dias, mas ontem não **tive** porque o professor **foi** ao médico.

Ontem **fomos** aos anos do Pedro. A festa **foi** ótima.

Ele **esteve** uma semana em Moçambique. **Foi** lá em negócios. **Foi** uma viagem muito cansativa.

28

12.1. Complete com os seguintes verbos no **p.p.s.**:

1. ser / eu _____	7. estar / eu _____	13. estar / você _____	19. estar / tu _____
2. ter / você _____	8. ter / tu _____	14. ir / tu _____	20. ser / tu _____
3. estar / ele _____	9. ser / nós _____	15. ter / ela _____	21. ir / nós _____
4. ir / ela _____	10. ir / eu _____	16. ser / vocês _____	22. ter / vocês _____
5. ser / ele _____	11. ser / eles _____	17. estar / nós _____	23. ir / você _____
6. ter / eu _____	12. ter / nós _____	18. ter / eles _____	24. estar / eles _____

12.2. Responda com os verbos indicados no **p.p.s.** Siga o exemplo.

ser

1. — A viagem **foi** boa?
   — *Foi* _____, *foi* _____ .
2. — As férias foram divertidas?
   — _____, _____ .
3. — O filme foi bom?
   — _____, _____ .
4. — O espetáculo foi interessante?
   — _____, _____ .
5. — O exame foi difícil?
   — _____, _____ .
6. — Foste bom aluno na escola?
   — _____, _____ .

ter

7. — O senhor **teve** muito trabalho?
   — *Tive* _____, *tive* _____ .
8. — Vocês tiveram dificuldades com os exercícios?
   — _____, _____ .
9. — Teve problemas no banco?
   — _____, _____ .
10. — O João teve boa nota no teste?
    — _____, _____ .
11. — Teve aulas ontem?
    — _____, _____ .
12. — Tiveste frio de noite?
    — _____, _____ .

ir

13. — Vocês **foram** à escola?
    — *Fomos* _____, *fomos* _____ .
14. — O senhor foi à reunião?
    — _____, _____ .
15. — Foste à praia?
    — _____, _____ .
16. — Os senhores foram a Sintra?
    — _____, _____ .
17. — O Afonso foi para casa?
    — _____, _____ .
18. — Foste ao cinema?
    — _____, _____ .
19. — Vocês foram ao supermercado?
    — _____, _____ .

estar

20. — Vocês **estiveram** em casa ontem?
    — *Estivemos* _____, *estivemos* _____ .
21. — Ele esteve no escritório?
    — _____, _____ .
22. — Você esteve na festa do Pedro?
    — _____, _____ .
23. — O senhor esteve no Porto?
    — _____, _____ .
24. — Esteve doente?
    — _____, _____ .
25. — A senhora esteve na reunião?
    — _____, _____ .
26. — Estiveram com eles?
    — _____, _____ .

12.3. Escreva frases sobre o **passado**.

1. Ele vai de carro para o trabalho.
   Ontem _____ .
2. Vou ao supermercado.
   Hoje de manhã _____ .
3. Vamos ao cinema.
   Ontem à noite _____ .
4. Tenho um teste logo à tarde.
   Ontem à tarde _____ .
5. Ela está doente.
   Na semana passada também _____ .
6. Estou em casa hoje à noite.
   Ontem também _____ .
7. O Tomás é um bom aluno.
   O irmão também _____ na escola.
8. Eles agora estão no Porto.
   No mês passado _____ em Lisboa.
9. Estes exercícios são fáceis.
   Os de ontem _____ mais difíceis.
10. A Carina e o Eduardo vão a uma festa.
    No sábado passado também _____ .

Unidade
13
pretérito perfeito simples do indicativo (p.p.s.)
verbos **regulares** em *-ar*, *-er* e *-ir*

Ontem **trabalhei** das nove às seis.

Na semana passada ela **escreveu** um artigo muito interessante.

Ontem à tarde ele **sentiu**-se mal e foi para casa.

	falar	comer	abrir
eu	fal**ei**	com**i**	abr**i**
tu	fal**aste**	com**este**	abr**iste**
você ele ela	fal**ou**	com**eu**	abr**iu**
nós	fal**ámos**	com**emos**	abr**imos**
vocês eles elas	fal**aram**	com**eram**	abr**iram**

	1.ª pessoa do singular
come**ç**ar	**eu** come**c**ei, tu começaste…
fi**c**ar	**eu** fi**qu**ei, tu ficaste…
pa**g**ar	**eu** pa**gu**ei, tu pagaste…

Ontem à noite **ficámos** em casa.

Comi tantos chocolates que **fiquei** mal disposto.

A camioneta para o Porto já **partiu**.

A Ana **nasceu** no Porto e sempre lá **viveu**.

Ao jantar **comeram** carne e **beberam** vinho tinto.

13.1. Complete com os seguintes verbos no **p.p.s.**:

1. comprar / ele _____	4. partir / eles _____	7. ficar / eu _____	10. perder / vocês _____
2. dormir / tu _____	5. nascer / ela _____	8. comer / nós _____	11. começar / eu _____
3. falar / nós _____	6. pagar / eu _____	9. conseguir / você _____	12. abrir / tu _____

13.2. Responda às seguintes perguntas usando só o verbo.

1. **Falaste** com ele?   *Falei.* _____
2. **Ouviste** as notícias? _____.
3. **Compraram** os bilhetes? _____.
4. **Trabalhaste** muito? _____.
5. **Dormiu** bem? _____.
6. **Pagaste** as contas? _____.
7. **Perderam** os documentos? _____.
8. **Tomaste** o pequeno-almoço? _____.
9. **Encontraram** a rua? _____.
10. **Leste** o jornal? _____.

13.3. O que é que a Ana fez no fim de semana passado?

	sábado	domingo
manhã	acordar às 10h00	
	tomar duche	
	tomar o pequeno-almoço às 11h00	
	ir às compras	dormir até ao meio-dia
tarde		
		almoçar fora
	ler o jornal	
		falar com os amigos no *Messenger*
	ouvir música	
		telefonar à avó
noite		
	jantar fora	ficar em casa
	ir ao cinema com os amigos	
		ir para a cama cedo
	voltar para casa à meia-noite	

No sábado de manhã a Ana acordou às 10h00. _____

_____

_____

_____

No domingo _____

_____

_____

_____

© LIDEL EDIÇÕES TÉCNICAS

pretérito perfeito simples do indicativo (p.p.s.)
verbos **irregulares**; verbos em *-air*

verbos irregulares

	dizer	trazer	fazer	querer	ver	vir	dar	saber	pôr	poder
eu	disse	trouxe	fiz	quis	vi	vim	dei	soube	pus	pude
tu	disseste	trouxeste	fizeste	quiseste	viste	vieste	deste	soubeste	puseste	pudeste
você ele ela	disse	trouxe	fez	quis	viu	veio	deu	soube	pôs	pôde
nós	dissemos	trouxemos	fizemos	quisemos	vimos	viemos	demos	soubemos	pusemos	pudemos
vocês eles elas	disseram	trouxeram	fizeram	quiseram	viram	vieram	deram	souberam	puseram	puderam

verbos em *-air*

	cair	sair
eu	caí	saí
tu	caíste	saíste
você ele ela	caiu	saiu
nós	caímos	saímos
vocês eles elas	caíram	saíram

O Pedro **fez** anos no fim de semana passado. Os amigos **deram**-lhe os parabéns e **trouxeram**-lhe presentes.

— O que é que **fizeste** ontem à noite?
— **Vi** um filme na televisão.

Ele nunca **quis** estudar línguas.

Puseram os casacos e **saíram**.

Ontem não **pude** ir com vocês, porque tinha de estudar.

— O que é que ele **disse**?
— **Disse** que estava muito cansado.

A minha mãe nunca **soube** falar inglês.

Ontem à noite não **saí**. Fiquei em casa.

14.1. Complete com os seguintes verbos no **p.p.s.**:

1. pôr / eu _____	5. fazer / ele _____	9. saber / elas _____	13. vir / você _____
2. poder / você _____	6. querer / tu _____	10. ver / nós _____	14. fazer / eu _____
3. dar / ela _____	7. vir / eu _____	11. trazer / elas _____	15. dar / nós _____
4. ver / eu _____	8. trazer / você _____	12. pôr / ele _____	16. poder / eu _____

14.2. Complete com os verbos no **p.p.s.**

1. Os meus vizinhos _____ muito barulho ontem à noite. (fazer)

2. O João não _____ ir ao cinema. (querer)

3. Ela _____ ontem e _____ presente para todos. (vir / trazer)

4. Ele _____ os óculos para ler o jornal. (pôr)

5. (Eu) não _____ ir com vocês à festa. (poder)

6. Ontem (nós) _____ o professor no café. (ver)

7. O que é que vocês _____ no sábado passado? (fazer)

8. O José e a Raquel _____ muito tarde para casa. (vir)

9. Ela _____ muitos erros no ditado. (dar)

10. (Tu) _____ televisão ontem à noite? (ver)

11. Eles não _____ o que aconteceu. (saber)

12. Ele _____ -me, mas eu não o _____ . (ver)

14.3. Faça frases com os verbos no **p.p.s.**

1. (ele / **vir** tarde para casa) *Ele veio tarde para casa.*

2. (eles / **trazer** presentes para todos) _____

3. (eu / não **poder** ir ao cinema) _____

4. (nós / **ver** um bom filme na TV) _____

5. (ninguém / **fazer** os exercícios) _____

6. (vocês / **saber** o que aconteceu?) _____

7. (os meus amigos / **dar** uma festa no sábado) _____

8. (ela / **querer** ficar em casa) _____

9. (eles / **pôr** os casacos e **sair**) _____

10. (o que é que tu / **fazer** ontem?) _____

11. (vocês / **trazer** os livros?) _____

12. (eu / não **ver** o acidente) _____

13. (o Simão / não **poder** ir ao futebol) _____

14. (quantos erros / **dar** a Clara na composição?) _____

15. (eu / **vir** de carro para a escola) _____

conjugação pronominal reflexa; colocação do pronome

Ele **levanta-se** às 8h00.

Eles **encontram-se** às 10h00 no café.

Ela **chama-se** Rute Moniz.

conjugação pronominal reflexa

levantar-se	
eu	**levanto-*me***
tu	**levantas-*te***
você ele ela	**levanta-*se***
nós	**levantamo-*nos***
vocês eles elas	**levantam-*se***

pronomes reflexos

me
te
se
nos
se

Eu levanto-*me* sempre cedo. E tu? Levantas-*te* cedo?

colocação do pronome

Não	*me*	levanto cedo.
Nunca	*se*	deita tarde.
Ninguém	*se*	deitou tarde ontem.
Também	*nos*	sentamos aqui.
Como (é que)	*te*	chamas?
Já	*se*	lavaram?
Enquanto	*se*	lava, canta.
Ainda não	*me*	vesti.
Todos	*se*	lembram bem dela.

verbos reflexos

levantar-se
deitar-se
sentar-se
chamar-se
lavar-se
vestir-se
lembrar-se

☐ **pronome *depois* do verbo** (ordem normal):

Ontem esqueci-*me* do chapéu de chuva na escola.

— Vocês deitam-*se* muito tarde?
— Não, deitamo-*nos* sempre cedo.

☐ **pronome *antes* do verbo**:

Eles **já** *se* encontraram uma vez.

Nunca *me* lembro do teu número de telefone.

15.1. Coloque corretamente o **pronome**.

1. Eu não _me_ levanto _____ tarde.
2. Por favor, _____ sente _-se_ aqui, D. Maria.
3. A Dália _____ veste _____ em 5 minutos.
4. À tarde eles _____ encontram _____ sempre no café.
5. Ninguém _____ esqueceu _____ do chapéu de chuva?
6. Como _____ chama _____ a professora?
7. Todos _____ lembram _____ do que aconteceu.
8. Vocês _____ deitam _____ muito tarde?
9. Já _____ lavaste _____ ?
10. Ainda não _____ lavei _____ .

15.2. Responda com o verbo da pergunta.

1. — Eu **levanto-me** às 7h00. E tu?
   — Eu também _____ às 7h00.

2. — A que horas é que **nos encontramos**?
   — _____ às 11h00 no café.

3. — Onde é que **nos sentamos**?
   — Tu _____ aí e eu _____ aqui.

4. — Como é que **se chama** a irmã dela?
   — _____ Laura.

5. — Vocês **deitam-se** muito tarde?
   — Não, _____ sempre cedo.

6. — **Lembras-te** da Ana?
   — _____ muito bem.

7. — Onde é que **se esqueceu** do chapéu?
   — _____ do chapéu no autocarro.

8. — Já **se lavaram**, meninos?
   — Ainda não _____ .

9. — Já **te registaste** no *Twitter*?
   — Sim, _____ ontem à noite.

10. — Ontem **levantaram-se** cedo?
    — Eu _____ às 8h00 e ela _____ às 8h30.

Quando **era** pequena,
brincava <u>sempre</u> com bonecas.

Antigamente **viviam** no campo.

	falar	comer	abrir
eu	fal**ava**	com**ia**	abr**ia**
tu	fal**avas**	com**ias**	abr**ias**
você ele ela	fal**ava**	com**ia**	abr**ia**
nós	fal**ávamos**	com**íamos**	abr**íamos**
vocês eles elas	fal**avam**	com**iam**	abr**iam**

	ser	ter	vir	pôr
eu	**era**	**tinha**	**vinha**	**punha**
tu	**eras**	**tinhas**	**vinhas**	**punhas**
você ele ela	**era**	**tinha**	**vinha**	**punha**
nós	**éramos**	**tínhamos**	**vínhamos**	**púnhamos**
vocês eles elas	**eram**	**tinham**	**vinham**	**punham**

☐ **aspeto durativo**

Usamos o **imperfeito** para **descrever** ou **narrar** acontecimentos que decorreram no passado, expressando continuidade e duração:

Antigamente *moravam* numa vivenda.

☐ **aspeto frequentativo**

Usamos o **imperfeito** para falar de **ações habituais** e **repetidas** no passado:

Depois da escola *faziam* <u>sempre</u> os trabalhos de casa.

36

16.1. Complete com os seguintes verbos no **imperfeito**:

1. ser / eu _____
2. ficar / ela _____
3. pôr / você _____
4. andar / tu _____
5. comer / nós _____
6. ter / ele _____
7. ler / eles _____

8. ver / eles _____
9. ir / elas _____
10. ouvir / tu _____
11. fazer / vocês _____
12. vir / eu _____
13. estar / ele _____
14. pedir / nós _____

15. querer / ela _____
16. levantar-se / eu _____
17. escrever / você _____
18. ajudar / tu _____
19. ir / nós _____
20. vir / vocês _____
21. ser / tu _____

16.2. O que é que a Alexandra **fazia** quando **andava** no colégio?
Faça frases com os verbos no **imperfeito**.

1. (**levantar-se** às 6h00 da manhã) *Levantava-se às 6h00 da manhã.* _____
2. (**fazer** a cama) _____
3. (**arrumar** a roupa) _____
4. (**tomar** duche) _____
5. (**vestir-se** no quarto) _____
6. (**secar** o cabelo) _____
7. (**beber** um copo de leite) _____
8. (**apanhar** o autocarro às 7h00) _____
9. (**começar** as aulas às 8h00) _____
10. (das 17h00 às 18h00 **fazer** os trabalhos de casa e **estudar**) _____
11. (às 20h00 **jantar** com a família) _____
12. (**consultar** o email e **falar** com os amigos no *Messenger*) _____
13. (cerca das 23h00 **ir** dormir) _____

16.3. Complete com os verbos no **imperfeito**.

1. Quando eles _____ (ser) crianças, _____ (viver) fora da cidade.
2. Por isso, _____ (levantar-se) muito cedo para ir para a escola.
3. _____ (sair) de casa às 7h00 e _____ (ir) de autocarro até à cidade.
4. Na escola, _____ (ter) aulas das 8h00 até às 13h00.
5. _____ (voltar) para casa, _____ (almoçar) e _____ (ir) fazer os trabalhos de casa.
6. Depois, _____ (brincar) com os amigos no jardim.
7. À noite, _____ (jantar) cedo e em seguida _____ (deitar-se).

Ele **costumava ir** a pé para o trabalho; agora vai de carro.

Eu **costumava usar** óculos; agora uso lentes de contacto.

ação habitual no passado

	costumar (imperfeito) + infinitivo	
eu	**costumava**	
tu	**costumavas**	
você ele ela	**costumava**	**ler trabalhar viajar**
nós	**costumávamos**	
vocês eles elas	**costumavam**	

ação habitual

no passado	no presente
Costumávamos viajar muito;	*agora* **viajamos** pouco.
Quando era jovem, **costumava viver** na casa dos pais;	*agora* **vive** sozinha.
À sexta-feira à noite **costumava ficar** em casa;	*agora* **saio** sempre.
Naquele tempo **costumava haver** pouco trânsito;	*agora* **há** mais.
Quando morava na cidade, **costumava andar** de carro;	*agora* moro no campo e **ando** a pé.

Unidade 17

17.1. Faça frases com o verbo no **imperfeito** e no **presente do indicativo**.

1. (eles) levantar-se / cedo – agora / tarde _Costumavam levantar-se cedo; agora levantam-se tarde._
2. (eu) trabalhar / num escritório – agora / num banco _____
3. Ao domingo / (eles) / ficar / em casa – agora / ir / ao cinema _____
4. (nós) ter férias / em julho – agora / em agosto _____
5. (ele) ser / muito gordo – agora / magro _____
6. A Ana / estudar / pouco – agora / muito _____
7. O Sr. Machado / chegar atrasado – agora / a horas _____
8. (eu) / praticar desporto – agora / não fazer nada _____
9. Aos sábados / (ela) ir à praça – agora / ao supermercado _____
10. As crianças / brincar em casa – agora / no jardim _____
11. O João / viver com os pais – agora / sozinho _____

17.2. Faça frases com o verbo no **imperfeito**.

1. máquinas de lavar // lavar tudo à mão

   Antigamente não havia máquinas de lavar.
   As pessoas costumavam lavar tudo à mão.

2. aviões // viajar de comboio

   _____
   _____

3. carros // andar mais a pé

   _____
   _____

4. telefones // escrever cartas

   _____
   _____

5. televisão // conversar mais

   _____
   _____

6. cinema // ir ao teatro

   _____
   _____

17.3. O que é que eles **costumavam fazer**, quando viviam no campo?

1. (levantar-se cedo) _Costumavam levantar-se cedo._
2. (a mãe / fazer compras / na mercearia local) _____
3. (as crianças / brincar / na rua) _____
4. (à tarde / (eles) / dar passeios de bicicleta) _____
5. (aos domingos / (eles) / fazer um piquenique) _____

© LIDEL EDIÇÕES TÉCNICAS

Unidade
18
pretérito imperfeito do indicativo
idade e horas; ações simultâneas

◇ Usamos o **imperfeito** para indicar a **idade** e as **horas** no **passado**.

idade e horas no passado

Tinha 4 anos quando fui ao cinema pela primeira vez.

Era meia-noite quando a festa acabou.

◇ Usamos o **imperfeito** para referir **ações simultâneas** no **passado**.

ações simultâneas no passado

Ontem de manhã, <u>enquanto</u> a Ana **tomava** duche, a irmã **fazia** as camas.

Enquanto a Ana **tomava** duche,

a irmã **fazia** as camas.

18.1. Complete as frases com os verbos **ser** ou **ter** no **imperfeito**.

1. — Quantos anos _____ quando foste para a escola?

   — _____ 6 anos. Mas o meu irmão _____ 5 anos.

2. _____ 7h00 quando me levantei.

3. Chegaram muito tarde ontem à noite. Já _____ meia-noite.

4. A minha mãe _____ 18 anos e o meu pai _____ 20 quando se conheceram.
   _____ muito jovens.

5. Ainda não _____ 8h00 quando saímos de casa.

18.2. Faça frases com o verbo no **imperfeito**.

1. (ele / vestir-se // ela / arranjar o pequeno-almoço)
   Enquanto ele se vestia, ela arranjava o pequeno-almoço.

2. (os filhos / tomar duche // a mãe / arrumar os quartos)
   _____

3. (eu / ver televisão // ele / ler o jornal)
   _____

4. (eles / preparar as bebidas // nós / pôr a mesa)
   _____

5. (ela / estar no telefone // tomar notas)
   _____

6. (a Xana e o Filipe / estudar // ouvir música)
   _____

7. (a orquestra / tocar // o Sr. Martins / dormir)
   _____

8. (as crianças / brincar // nós / conversar)
   _____

9. (o professor / ditar // nós / escrever os exercícios)
   _____

10. (a empregada / limpar a casa // eu / tratar das crianças)
    _____

11. (ele / falar // fazer gestos com as mãos)
    _____

12. (o Zezinho / vestir o pijama // a mãe / abrir a cama)
    _____

13. (ela / estudar // enviar *sms* aos amigos)
    _____

14. (eles / jogar *Playstation* // elas / ouvir música)
    _____

15. (eu / dirigir-se para a porta // o cão / ladrar)

pretérito imperfeito *vs.* pretérito perfeito simples (p.p.s.)

Estava a ler um livro.
O telefone **tocou**.

Tinha cabelo comprido e **usava** tranças.
Cortou o cabelo.

imperfeito	– ação a decorrer (∼)
p.p.s.	– ação pontual (•)

A Inês **estava a ler**,
∼∼∼∼∼∼∼ • ∼∼∼∼∼∼∼
quando o telefone **tocou**.

imperfeito	– descrição de factos
p.p.s.	– ação realizada

Aos 5 anos, **tinha** o cabelo comprido e **usava** tranças.
Mais tarde **cortou** o cabelo.

☞ O imperfeito representa o presente no passado.
O p.p.s. indica uma ação completamente realizada.

p.p.s.
Ontem à noite
21h00| - - - - - - - - - - - - - - - - - - |23h00
[vimos o filme]
(ação completa)

Começámos a ver o filme às 21h00 e **acabámos** às 23h00.

imperfeito
Ontem à noite
21h00| ∼∼∼∼∼∼∼∼∼∼∼∼∼∼∼ |23h00
[estávamos a ver o filme]
(ação a decorrer)

— O que é que estavam a fazer às 22h30?
— **Estávamos a ver** o filme.

Estava a ver televisão quando me **telefonaste**.
Quando **saímos** de casa, **estava a chover**.
Ontem **choveu** o dia todo.
Os alunos **estavam a trabalhar** quando o professor **entrou**.
Hoje de manhã **vi** a Anabela. **Estava a tomar** o pequeno-almoço no café. **Trazia** um casaco comprido e **calçava** botas altas.

Unidade 19

19.1. Faça frases, usando o **imperfeito** ou o **p.p.s.**

1. (ela / ler o jornal) _Ela estava a ler o jornal._
   (o telefone / tocar) _O telefone tocou._
   (ela / atender o telefone) _Ela atendeu o telefone._

2. (a Inês / dormir) _____
   (a mãe / entrar) _____
   (ela / levantar-se) _____

3. (o Sr. Pinto / pintar a sala) _____
   (ele / cair do escadote) _____
   (ele / partir o braço) _____

4. (eles / jogar no jardim) _____
   (começar a chover) _____
   (eles / ir para casa) _____

5. (eu / ouvir música) _____
   (o chefe / chegar) _____
   (eu / desligar o rádio) _____

19.2. Faça frases com os verbos no **imperfeito** e **p.p.s.**

1. (eles / chegar // a empregada / arrumar a casa)
   A empregada estava a arrumar a casa quando eles chegaram.
2. (O Duarte / tomar duche // o telefone / tocar) _____
3. (chover // nós / sair de casa) _____
4. (os alunos / trabalhar // o professor / entrar) _____
5. (eu / ver televisão // os meus amigos / tocar à porta) _____
6. (eles / jogar futebol // começar a chover) _____
7. (nós / trabalhar // o computador / avariar-se) _____

19.3. Complete com o **imperfeito** ou **p.p.s.**

1. _Estava a chover_ (chover) quando (eu) _saí_ (sair) de casa.
2. O que é que _estavas a fazer_ (fazer) quando te _telefonei_ (telefonar)?
3. Ontem à noite (eu) não _____ (ter) fome. Por isso, não _____ (comer) nada.
4. A Filipa não _____ (estar) em casa quando eu lá _____ (ir).
5. O carteiro _____ (chegar) enquanto nós _____ (tomar) o pequeno-almoço.
6. Eu _____ (estar) atrasado, mas os meus amigos _____ (estar) à espera
   quando (eu) _____ (chegar).
7. Ele não _____ (ir) à festa. _____ (estar) doente.
8. O que é que vocês _____ (fazer) no fim de semana passado? (Nós) _____ (ir)
   ao cinema.
9. Ontem às 20h00 (eu) ainda _____ (trabalhar). (Eu) _____ (sair) do escritório às 22h00.
10. Quando (nós) _____ (encontrar) a Marta, ela _____ (trazer) um vestido preto.
11. Enquanto (eu) _____ (tomar) café na esplanada, (eu) _____ (ouvir) um
    grande barulho. (Eu) _____ (levantar-se), _____ (olhar) à volta, mas não
    _____ (ver) nada.
12. Quando o Guilherme _____ (ser) pequeno, (ele) _____ (ser) gordo e
    _____ (usar) óculos.
13. A irmã dele, pelo contrário, _____ (ser) muito magra e não _____ (ter) óculos.
14. Ele _____ (estar) com pressa quando (nós) _____ (falar) com ele.
15. Quando (eles) _____ (vir) para Lisboa, (eles) _____ (ver) um acidente na
    autoestrada.

Unidade 20
imperfeito de cortesia;
imperfeito com valor de condicional

Queria um café, por favor.

Podia dizer-me
as horas, por favor?

Gostava de viver num
castelo.

imperfeito de cortesia

☐ **fazer delicadamente uma afirmação**

Queria falar com o Dr. Nunes, por favor.

— Vamos ao cinema?
— **Preferia** ir ao teatro.

Queria uma bica e um bolo, se faz favor.

☐ **fazer delicadamente um pedido**

Podia dizer-me onde é a Av. da República?

Trazia-me um copo de água, por favor?

Dizia-me as horas, se faz favor?

imperfeito com valor de condicional

☐ **expressar um desejo**

O meu filho **queria** ser médico.

Gostava de fazer uma grande viagem.

☐ **falar de ações cuja realização está dependente de uma condição**

Eu **ia** com vocês, mas infelizmente não tenho tempo.

Sem a tua ajuda, João, eu não **podia** acabar o
trabalho a tempo.

20.1. Complete as perguntas com o verbo no **imperfeito** (3.ª pessoa do singular).

1. *Podia* _____ (poder) dizer-me onde ficam os Correios, por favor?

2. _____-nos (trazer) a lista, se faz favor?

3. _____-me (passar) o açúcar, por favor?

4. _____-me (dizer) as horas, por favor?

5. _____-me (dar) uma informação, por favor?

20.2. Complete com os verbos no **imperfeito**.

1. A Ana *gostava* _____ (gostar) de tirar um curso nos Estados Unidos.

2. A minha irmã mais nova _____ (querer) ser professora.

3. Eu _____ (ir) com vocês, mas tenho que estudar.

4. Nós não _____ (conseguir) encontrar a rua sem o mapa.

5. Hoje à noite (eu) _____ (preferir) ficar em casa.

6. De metro (tu) _____ (chegar) mais depressa.

7. Os meus filhos _____ (adorar) ir à Eurodisney!

8. Já são 19h00. (Eu) _____ (querer) acabar o trabalho às 18h00!

9. Ele _____ (ficar) muito contente com o teu telefonema.

10. Com a ajuda do professor _____ (ser) mais fácil resolver o exercício.

11. Com tanto calor _____-me (apetecer) uma cerveja!

12. O Marcos _____ (gostar) de ir à festa no próximo sábado, mas provavelmente não pode.

20.3. Faça frases com os verbos no **imperfeito** (= condicional) e no **presente do indicativo**.

1. Não tenho tempo. Por isso, não vou com vocês.

   Ia com vocês, mas não tenho tempo. _____

2. Tenho de estudar. Por isso, não vou ao cinema.

   _____

3. Estou a fazer dieta. Por isso, não como o bolo.

   _____

4. Eles não podem sair. Por isso, não vão à festa.

   _____

5. Não tenho dinheiro. Por isso, não faço a viagem.

   _____

6. O café faz-me mal. Por isso, não tomo um café.

45

Unidade 21

pretérito mais-que-perfeito composto do indicativo (p.m.q.p.c.)

O comboio partiu.

Nós chegámos à estação.

O comboio já **tinha partido** quando nós chegamos à estação.

ter (imperfeito) + particípio passado

eu	**tinha**	
tu	**tinhas**	
você ele ela	**tinha**	**chegado estado ido**
nós	**tínhamos**	
vocês eles elas	**tinham**	

◇ Usamos o **pretérito mais-que-perfeito composto do indicativo** para falar de ações passadas que aconteceram antes de outras, também passadas:

passado ————————————————— presente

tinhas saído   telefonei-te

Ontem telefonei-te, mas tu já **tinhas saído**.

Quando eu cheguei à festa, o João já **tinha ido** para casa.

particípio passado regular

	-ar	-er	-ir
infinitivo	falar	comer	partir
particípio passado	**fal<u>ado</u>**	**com<u>ido</u>**	**part<u>ido</u>**

particípio passado irregular

abrir	*aberto*	pôr	*posto*
dizer	*dito*	ver	*visto*
escrever	*escrito*	vir	*vindo*
fazer	*feito*		

Unidade 21

Exercícios

21.1. Complete com os verbos no **pretérito mais-que-perfeito composto**.

1. Não estavas em casa. (sair)

   Já _tinhas saído._

2. O bebé não estava com fome. (comer)

   Já _____

3. Eles já não estavam em Portugal. (voltar para França)

   Já _____

4. A Susana estava muito feliz. (ganhar a lotaria)

   _____

5. Ele estava preocupado. (gastar muito dinheiro)

   Já _____

6. Não fui à festa. (combinar ir ao concerto)

   Já _____

7. O quarto já estava arejado e arrumado. (abrir a janela e fazer a cama)

   A empregada já _____

8. Não fomos ao cinema. (ver o filme)

   Já _____

9. Ela estava muito nervosa. (andar de avião)

   Nunca _____

10. Já não havia barulho. (ir para a cama)

    As crianças _____

21.2. Complete com os verbos no **p.m.q.p.c.** e no **p.p.s.**

1. Quando eu _chequei_ (chegar) a casa, a minha mãe já _tinha saído_ (sair).
2. O filme já _____ (começar) quando nós _____ (entrar) na sala.
3. Quando eu me _____ (levantar), a empregada _____ (arrumar) tudo.
4. Nós já _____ (acabar) de jantar quando tu _____ (telefonar).
5. Quando nós _____ (encontrar) o João, ele já _____ (falar) com a Ana.

21.3. Complete com os verbos no **p.m.q.p.c.** ou no **p.p.s.**

1. Não tenho fome. Já _almocei_. (almoçar)
2. Ele não tinha fome. Já _tinha almoçado_. (almoçar)
3. Eles estavam muito cansados. Não _____ (dormir) nada.
4. Porque é que estás cansado? Não _____ (dormir)?
5. Peço desculpa pelo atraso, mas _____ (ter) um acidente com o carro.
6. Encontrei a Leonor no hospital. Ela _____ (ter) um acidente com o carro.
7. Estou muito nervoso. Nunca _____ (andar) de avião.
8. Ele estava muito nervoso. Nunca _____ (andar) de avião.

47

pretérito perfeito composto do indicativo (p.p.c.)

<u>Ultimamente</u> **tenho trabalhado** muito.

<u>Desde que a escola abriu</u> **têm tido** muitas inscrições.

ter (presente) + particípio passado

eu	tenho	
tu	tens	
você ele ela	tem	**falado** **ido**
nós	temos	**visto**
vocês eles elas	têm	

◇ Usamos o **pretérito perfeito composto do indicativo** para falar de ações que começam no passado e se prolongam até ao momento presente.

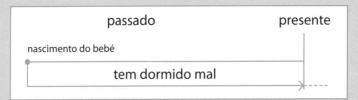

Desde que o bebé nasceu, ela **tem dormido** mal.

Este ano **têm estudado** mais do que no ano passado.

A Ana não vem trabalhar. **Tem estado** doente.

Este ano **tem chovido** pouco.

— **Tens falado** com o João?
— Não. Não o **tenho visto**.

Nos últimos anos o número de turistas no nosso país **tem aumentado**.

colocação dos pronomes

◇ Quando o verbo principal está no **particípio passado**, o pronome coloca-se antes ou depois do auxiliar, consoante a regra (unidade 15).

Ultimamente eles <u>têm</u>-**se** <u>encontrado</u> muito.
Ultimamente eles <u>não</u> **se** <u>têm encontrado</u>.

22.1. Complete com os verbos no **pretérito perfeito composto**.

1. — (Tu) _Tens visto_ (ver) a nova série da televisão?
   — Não. (Eu) _Tenho tido_ (ter) muito trabalho ultimamente.
2. Ele não _____ (ir) à escola. _____ (estar) doente.
3. Estou mais gorda. _____ (ter) muito apetite.
4. Ultimamente nós não _____ (ir) ao cinema. Queres ir hoje?
5. Com o frio que _____ (fazer), eles não _____ (sair) de casa.

22.2. Faça frases com os verbos no **pretérito perfeito composto**.

1. (ela / faltar às aulas)
   Ela tem faltado às aulas.
2. (eu / não / falar com eles / ultimamente)
   _____
3. (eles / ir à praia / todos os dias)
   _____
4. (ele / não / vir trabalhar)
   _____
5. (a tua equipa / ganhar / muitos jogos?)
   _____
6. (nós / perder / quase todos os jogos)
   _____
7. (o tempo / estar ótimo)
   _____
8. (ultimamente / abrir / muitos restaurantes japoneses)
   _____
9. (nestes últimos anos / eu / não ter férias)
   _____
10. (ele / escrever / vários artigos sobre educação)
   _____

22.3. Complete com o **p.p.c.** e o **p.p.s.**

1. Desde que a escola _abriu_ (abrir), _têm tido_ (ter) muitas inscrições.
2. Ela não _____ (descansar) nada desde que o bebé _____ (nascer).
3. Desde que eu _____ (ir) ao médico, _____ (estar) melhor.
4. Desde que as férias _____ (acabar), eles _____ (ter) muito trabalho.
5. Eu não _____ (ver) a Luísa desde que ela _____ (ficar) doente.
6. Desde que eles _____ (comprar) a vivenda, _____ (dar) muitas festas.
7. Desde que o verão _____ (começar), _____ (fazer) imenso calor.
8. Desde que eu _____ (mudar) de casa, não _____ (encontrar) os meus amigos.
9. Nós não _____ (ir) ao cinema desde que _____ (casar-se).
10. Ela _____ (vir) de metro desde que a nova estação _____ (abrir).

Ele **vai fazer** o jantar.

Ele **está a fazer** o jantar.

Ele **acabou de fazer** o jantar.

futuro próximo		
ir + infinitivo		
eu	**vou**	
tu	**vais**	
você ele ela	**vai**	**comer estudar partir**
nós	**vamos**	
vocês eles elas	**vão**	

realização prolongada no presente			
estar a + infinitivo			
estou			
estás			
está	a	**falar ler ver**	
estamos			
estão			

passado recente			
acabar de + infinitivo			
acabei			
acabaste			
acabou	de	**chegar sair vir**	
acabámos			
acabaram			

50

— Aonde vais?
— **Vou comprar** bilhetes para o cinema.

— O que é que a Daniela **está a fazer**?
— **Está a pôr** a mesa.

— O Gustavo já saiu?
— Já. **Acabou de sair**.

— Já são 9h00 e ainda não estás pronta.
— Pois não. **Vou chegar** atrasada.

Ele está muito cansado. **Acabou de chegar** de viagem.

Afinal não **vamos comprar** o carro.

Está a fazer muito barulho. Eles **estão a estudar**.

Vais convidar o João para a festa?

Eles acabaram de entrar. Ainda não despiram os casacos.

Ontem ele foi visitar a igreja. Amanhã **vai visitar** o museu.

Vou a pé para casa. O último autocarro **acabou de partir**.

Unidade 23

23.1. Faça frases com **ir + infinitivo** / **estar a + infinitivo** / **acabar de + infinitivo**.

1. eu / ler o jornal

Eu vou ler o jornal.
Eu estou a ler o jornal.
Eu acabei de ler o jornal.

2. ela / fazer os exercícios

3. o Francisco / tomar duche

4. eu e a Vanda / pôr a mesa

5. eles / falar com o professor

23.2. Faça perguntas e dê as respostas.

1. (vocês / fazer / hoje à noite)
(ver o filme da televisão)

O que é que vocês vão fazer hoje à noite?
Vamos ver o filme da televisão.

2. (a Diana / fazer / depois das aulas)
(jogar ténis)

3. (tu / fazer / logo à tarde)
(estudar português)

4. (nós / fazer / amanhã de manhã)
(fazer compras)

5. (vocês / fazer / no próximo fim de semana)
(passear até Sintra)

23.3. Responda às seguintes perguntas:

1. Quando é que voltaste? (chegar)

Acabei de chegar.

2. Chegaram há muito tempo? (entrar)

3. O Frederico já acordou? (levantar-se)

4. Ela já está pronta? (vestir-se)

5. Quando é que eles voltaram? (chegar)

51

Ele tem 17 anos.
No próximo ano **terá** 18 anos.

Elas viajam muito. Amanhã às
10h00 **estarão** em Paris.

verbos regulares

eu	falar**ei**
tu	comer**ás**
você ele ela	partir**á**
nós	voltar**emos**
vocês eles elas	ficar**ão**

verbos irregulares

	dizer	fazer	trazer
	direi	**farei**	**trarei**
	dirás	**farás**	**trarás**
	dirá	**fará**	**trará**
	diremos	**faremos**	**traremos**
	dirão	**farão**	**trarão**

O presidente **partirá** às 9h00 e **chegará** às 11h30 a Londres.

Este ano, no verão, fomos para Espanha. No próximo ano **iremos** para Cabo Verde.

Ela diz que o médico **virá** por volta das 17h00.

Terei muito gosto na vossa visita.

O João diz que **trará** presentes para todos.

Ela tem medo de andar de avião. Diz que nunca **andará** de avião.

◇ Usamos ainda esta forma de **futuro** em frases **interrogativas** para exprimir
incerteza/desconhecimento sobre situações presentes.

Vamos hoje para o Porto. **Será** que está frio?

Estão a tocar à campainha. Quem **será**?

A Joana estuda muito, mas **passará** no exame?

Ele não veio trabalhar. **Estará** doente?

52

24.1. Complete com os seguintes verbos no **futuro**:

1. ir / eu _____
2. ter / tu _____
3. partir / ele _____
4. fazer / eu _____
5. dizer / nós _____

6. trazer / ela _____
7. ser / eles _____
8. vir / vocês _____
9. sair / eu _____
10. falar / tu e eu _____

11. comer / eu e ela _____
12. ouvir / elas _____
13. ver / tu _____
14. pôr / você _____
15. poder / eu _____

24.2. A Joana é hospedeira e viaja muito. Faça frases com os verbos no **futuro**.

1. (amanhã às 10h00 / partir para Madrid)

   Amanhã às 10h00 partirá para Madrid.

2. (ficar lá dois dias)

   _____

3. (no dia 18 / chegar a Paris)

   _____

4. (cinco dias depois / viajar para Viena)

   _____

5. (de Viena / ir para Roma)

   _____

6. (no dia seguinte / partir para Atenas)

   _____

24.3. Complete com os verbos no **futuro**.

1. Não fumo nem nunca _____
2. Ele não é bom aluno nem nunca _____
3. Não falo com ela nem nunca _____
4. Não gosto de teatro nem nunca _____
5. Não faço isso nem nunca _____

24.4. Complete as frases com o verbo no **futuro**.

1. Esta semana o presidente _____ (iniciar) a habitual visita pelo país.
2. O presidente _____ (começar) amanhã a sua viagem por Portugal.
   Primeiro _____ (visitar) o Norte.
3. Depois, _____ (estar) na região Centro durante uma semana.
4. Finalmente _____ (ir) para o Sul, onde _____ (ficar) cerca de cinco dias.
5. Na próxima semana _____ (ter) encontros com os dirigentes da Madeira e dos Açores.

24.5. Complete as frases interrogativas com os verbos no **futuro**.

1. Hoje está muito frio. _____ (ser) que vai nevar?
2. O professor não vem às aulas. _____ (estar) doente?
3. O telefone está a tocar. _____ (ser) o Rogério?
4. Eles têm estudado muito, mas _____ (passar) no exame?
5. É meia-noite. O café ainda _____ (estar) aberto?

condicional presente

Esta casa é maravilhosa.
Não me **importaria** nada
de viver aqui.

Ele abriu uma pequena loja em 1988.
Dois anos mais tarde **seria** dono de uma grande
cadeia de supermercados.

verbos regulares

	falar
eu	falar**ia**
tu	falar**ias**
você ele ela	falar**ia**
nós	falar**íamos**
vocês eles elas	falar**iam**

verbos irregulares

dizer	fazer	trazer
diria	**faria**	**traria**
dirias	**farias**	**trarias**
diria	**faria**	**traria**
diríamos	**faríamos**	**traríamos**
diriam	**fariam**	**trariam**

◇ Usamos o **condicional** para:

☐ **falar de ações cuja realização está dependente de uma condição***

> **Gostaria** de ir com vocês, mas infelizmente não posso.

☐ **expressar desejos***

> **Daria** tudo para não ter exame amanhã.

☐ **formular pedidos** ("forma de cortesia")*

> **Poderia** dizer-me as horas, por favor?

☐ **sugerir***

> **Deveríamos** convidar os pais, não achas?

☐ **indicar ações posteriores à época de que se fala** (mais comum na linguagem escrita)

> Começou como ajudante e mais tarde **seria** promovido a chefe.

☞ *Nestes casos, o **condicional** pode ser substituído pelo
pretérito imperfeito do indicativo, forma mais coloquial.

25.1. Complete com o verbo no **condicional**.

1. dar / nós _____	5. ir / eu _____	9. ver / eles _____	13. ter / tu e a Ana _____
2. ser / tu _____	6. ler / você _____	10. dizer / nós _____	14. pôr / ela _____
3. fazer / ele _____	7. trazer / tu _____	11. vir / você _____	15. ouvir / vocês _____
4. poder / você _____	8. estar / ela _____	12. falar / eu _____	16. chegar / eu e tu _____

25.2. Substitua os verbos no *imperfeito* pelo **condicional**.

1. Nós **íamos** ao cinema, mas infelizmente não temos tempo.

   Nós iríamos ao cinema, mas infelizmente não temos tempo.

2. **Dava** tudo para ter um autógrafo dela.

   _____

3. **Podia** dar-me uma informação?

   _____

4. Vocês **deviam** falar com o médico.

   _____

5. Eu **gostava** de trocar de carro.

   _____

6. De táxi **era** mais rápido.

   _____

7. Sem a ajuda dos amigos, a casa não **estava** pronta.

   _____

8. **Podíamos** ir a um restaurante chinês.

   _____

9. Ela **adorava** morar perto da praia.

   _____

10. Não **era** melhor comprar já os bilhetes?

   _____

11. Eu não me **importava** de fazer o trabalho, mas hoje não posso.

   _____

25.3. Complete com os verbos no **condicional**.

1. Fiz isso e *faria* _____ outra vez.
2. Fui a casa deles e _____ outra vez.
3. Paguei o jantar e _____ outra vez.
4. Gastei o dinheiro todo e _____ outra vez.
5. Falei com o chefe e _____ outra vez.
6. Fui empregada doméstica e _____ outra vez.
7. Já vi o filme e _____ outra vez.
8. Li o livro todo e _____ outra vez.
9. Disse mal deles e _____ outra vez.
10. Contei o segredo à Bárbara e _____ outra vez.

imperativo
formação **regular** (afirmativa)

verbos em *-ar*

presente do indicativo	singular		plural
	informal	formal	formal e informal
(ele) fala	**Fala!**		
(eu) fal~~o~~		**Fal_e_!**	**Fal_em_!**

verbos em *-er* e *-ir*

presente do indicativo		singular		plural
		informal	formal	formal e informal
(ele)	come	**Come!**		
	abre	**Abre!**		
(eu)	com~~o~~		**Com_a_!**	**Com_am_!**
	abr~~o~~		**Abr_a_!**	**Abr_am_!**

◊ Formamos o **imperativo** a partir do presente do indicativo:

• no singular, tratamento informal (tu) é exatamente igual à forma da 3.ª pessoa do singular;

• no singular, tratamento formal (vocês, o senhor, a senhora) e no plural (vocês, os senhores, as senhoras) retira-se a terminação –o à 1.ª pessoa do singular e acrescenta-se, singular e plural respetivamente, **-_e_** e **-_em_**, nos verbos em *-ar*, e **-_a_** e **-_am_**, nos verbos em *-er* e *-ir*.

Fala mais baixo, filho!
Fale mais baixo, Sr. Matos!
Falem mais baixo!

Come a sopa, filho!
Coma a sopa, Sr. Matos!
Comam a sopa!

Abre a porta, filho!
Abra a porta, Sr. Matos!
Abram a porta!

◊ Usamos as formas do **imperativo** para:

☐ **dar ordens**	— **Calem-se!**
☐ **dar conselhos**	— **Beba** leite! Faz bem à saúde.
☐ **dar sugestões**	— **Apanhem** um táxi. É mais rápido.
☐ **dar indicações**	— **Vire** aqui à direita e depois **siga** sempre em frente.
☐ **fazer pedidos**	— **Chega** aqui, por favor.

26.1. Complete com as formas corretas dos verbos no **imperativo**.

| vestir |
1. (tu) **Veste** _____ o casaco.
2. (você) **Vista** _____ a camisola.
3. (vocês) **Vistam** _____ os casacos.

| ler |
13. (tu) _____ o jornal.
14. (você) _____ o livro.
15. (vocês) _____ as instruções.

| pôr |
4. (tu) _____ a mesa.
5. (você) _____ os óculos.
6. (vocês) _____ as camisolas.

| fazer |
16. (tu) _____ o trabalho.
17. (você) _____ o almoço.
18. (vocês) _____ os exercícios.

| trazer |
7. (tu) _____ o livro.
8. (você) _____ o dicionário.
9. (vocês) _____ os documentos.

| despir |
19. (tu) _____ a camisola.
20. (você) _____ a gabardina.
21. (vocês) _____ os casacos.

| pedir |
10. (tu) _____ desculpa.
11. (você) _____ ajuda.
12. (vocês) _____ licença.

| vir |
22. (tu) _____ comigo.
23. (você) _____ a Lisboa.
24. (vocês) _____ cá a casa.

26.2. São horas de ir para a cama. A mãe diz aos filhos:

1. — _____ (lavar) os dentes.
2. — _____ (vestir) o pijama.
3. — _____ (desligar) a televisão.
4. — _____ (dizer) boa noite ao pai.
5. — _____ (dormir) bem.

26.3. Complete as frases com os verbos no **imperativo**.

1. — Está muito calor aqui. (tu / abrir a janela)
— **Abre a janela.** _____

2. — Onde ficam os Correios, por favor?
(o senhor / virar à esquerda)
— _____

3. — Estou com fome. (tu / comer uma sandes)
— _____

4. — Precisas de ajuda? (tu / pôr a mesa)
— _____, por favor.

5. — Tenho frio. (você / vestir o casaco)
— _____

6. — Temos sede. (vocês / beber um sumo)
— _____

7. — Não compreendo este texto.
(tu / ver as palavras no dicionário)
— _____

8. — Como é que o vídeo funciona?
(você / ler as instruções)
— _____

9. — Mãe, temos de comprar os bilhetes.
(vocês / pedir dinheiro ao vosso pai)
— _____

10. — Precisa de alguma coisa do supermercado?
(a senhora / trazer queijo e fiambre)
— _____, por favor.

11. — O relógio parou! (você / substituir a pilha)
— _____

12. — Vamos agora para o aeroporto.
(vocês / fazer boa viagem)
— _____

13. — Hoje nem tive tempo de ler o jornal.
(o senhor / ver o telejornal logo à noite)
— _____

14. — Não posso ver o jogo; tenho de fazer serão.
(você / ouvir o relato no rádio)
— _____

15. — Tenho medo de andar de elevador.
(tu / subir pelas escadas)
— _____

16. — Não gosto de ir sozinho ao ginásio.
(o senhor / vir connosco)
— _____

imperativo
formação **regular** (negativa)
formação **irregular** (afirmativa e negativa)

forma negativa

			-ar	-er / -ir
singular	informal	= **formal + s =**	Não **fales**!	Não **comas**! Não **abras**!
	formal		Não fale!	Não coma! Não abra!
plural	informal e formal		Não falem!	Não comam! Não abram!

◇ No **imperativo negativo** só é **diferente** a forma usada para o tratamento **informal no singular** (tu). Todas as outras – tratamento formal no singular (você) e tratamento informal e formal no plural (vocês; os senhores; as senhoras) – são iguais na afirmativa e negativa.

Não **fales** tão alto, filho!
Não **fale** tão alto, Sr. Matos!
Não **falem** tão alto!

Não **comas** tanto, filho!
Não **coma** tanto, Sr. Matos!
Não **comam** tanto!

Não **abras** a janela, filho!
Não **abra** a janela, Sr. Matos!
Não **abram** a janela!

formação irregular

	singular			plural
	informal		formal	informal e formal
	afirmativa	negativa	afirmativa e negativa	afirmativa e negativa
ser	**sê**	não **sejas**	(não) **seja**	(não) **sejam**
estar	está	não **estejas**	(não) **esteja**	(não) **estejam**
dar	dá	não **dês**	(não) **dê**	(não) **deem**
ir	vai	não **vás**	(não) **vá**	(não) **vão**

Vão de comboio!
Sê simpático!

Não **deem** comida ao cão!
Sejam bem-vindos!

Não **sejas** teimoso!
Estejam calados!

27.1. Complete com as formas corretas dos verbos no **imperativo**.

| ser | | dar | |

1. (tu) _____ cuidadoso!
2. (você) _____ bem-vindo!
3. (vocês) _____ pontuais!

7. (tu) _____ -me o jornal.
8. (você) _____ -me o livro.
9. (vocês) _____ -me as revistas.

| ir | | estar | |

4. (tu) _____ ao supermercado.
5. (você) _____ aos correios.
6. (vocês) _____ falar com o professor.

10. (tu) _____ calado!
11. (você) _____ à vontade!
12. (vocês) _____ quietos!

27.2. O Miguel tem 5 anos e faz muitos disparates. A mãe está a dar-lhe algumas ordens.

1. Miguel, não _dispas_ (despir) a camisola. Está muito frio.
2. Não _____ (falar) alto. Os teus irmãos estão a estudar.
3. Não _____ (comer) tantos chocolates.
4. Não _____ (tirar) os sapatos.
5. Não _____ (sujar) o chão.
6. Não _____ (partir) o copo.
7. Não _____ (escrever) na parede.
8. Não _____ (dizer) asneiras.
9. Não _____ (fazer) barulho.
10. Não _____ (entornar) o leite.
11. Não _____ (dar) pontapés à tua irmã.

27.3. Faça frases com os verbos no **imperativo**.

1. — (tu / não / fumar / tanto)
   — _Não fumes tanto!_

2. — (vocês / não / beber / água da torneira)
   — _____

3. — (vocês / dar / parabéns / à avó)
   — _____

4. — (tu / não / sair / do pé de mim)
   — _____

5. — (vocês / estar / com atenção)
   — _____

6. — (tu / não / ser / preguiçoso)
   — _____

7. — (a senhora / não / atrasar-se)
   — _____

8. — (vocês / ir / fazer os trabalhos de casa)
   — _____

9. — (tu / não / destruir / o *puzzle*)
   — _____

10. — (o senhor / não / conduzir / tão depressa)
    — _____

11. — (vocês / não / sentir / pena dele)
    — _____

12. — (tu / não / atirar / papéis para o chão)
    — _____

13. — (você / dar / o recado / à Inês / por favor)
    — _____

14. — (tu / não / perder / o chapéu de chuva)
    — _____

15. — (vocês / não / distribuir / já os presentes)
    — _____

16. — (o senhor / não / ir / por esse caminho)
    — _____

Ele disse-lhes *para* **levarem** os casacos.

Ele comprou um livro *para* o filho **ler**.

-ar / -er / -ir	
eu	chegar
tu	falar**es**
você ele ela	ler
nós	ir**mos**
vocês eles elas	ser**em**

◇ Usamos o infinitivo pessoal depois de:

☐ **expressões impessoais**

É melhor vocês **levarem** os casacos.
É preciso ires ao supermercado.
É agradável estarmos na esplanada.

☐ **preposições**

Ao ouvir as notícias, o Leonardo ficou preocupado. (= Quando o Leonardo ouviu as notícias, …)
Comprei bilhetes **para irmos** ao cinema.
Não te convidei, Jorge, **por estares** doente.
Não saiam de casa **sem** eu **chegar**.
Eu espero **até** vocês **acabarem** o trabalho.

☐ **locuções prepositivas**

Li o livro **antes de ver** o filme.
Apesar de serem muito ricos, não gostam de gastar dinheiro.
No caso de querer mais informações, Sr. Campos, telefone-me.
Depois de estudares tudo, podes sair.

28.1. Complete com os verbos no **infinitivo pessoal**.

1. Fomos visitar a Matilde por ela _____ (estar) doente.
2. Depois de _____ (pensar), decidimos não fechar o negócio.
3. Quero acabar o bolo antes de _____ (chegar) os convidados.
4. Depois de vocês _____ (partir), arrumo a casa.
5. Apesar de _____ (estar) com sono, não conseguiram dormir.
6. Não é muito provável eles _____ (aceitar) o trabalho.
7. Até nós _____ (encontrar) o dinheiro, ninguém sai da sala.
8. É perigoso _____ (tomar) banho neste rio, meninos.
9. Fui de táxi para não _____ (chegar) tarde.
10. O Nuno e a Ana estão a aprender inglês para _____ (ir) para os Estados Unidos.
11. Sem _____ (saber) línguas, não podem concorrer ao lugar.
12. Esperem aqui até eu _____ (voltar).
13. Depois de _____ (comer), sentes-te melhor.
14. Sem _____ (provar) o bolo, não podes dizer se é bom ou mau.
15. A Mariana ficou muito contente ao _____ (receber) o presente.

28.2. Ligue as frases com as palavras entre parênteses. Faça as alterações necessárias.

1. Ele vai ao cinema. Primeiro acaba o trabalho. (depois de)
   Ele vai ao cinema depois de acabar o trabalho.
2. Não posso ir. Telefono-lhe. (no caso de)
   _____
3. Não me sinto bem, mas vou trabalhar. (apesar de)
   _____
4. Vais às compras. Depois vens logo para casa. (depois de)
   _____
5. Primeiro têm de lavar as mãos. Depois comem o bolo. (antes de)
   _____
6. Acabas o trabalho. Depois fechas a luz. (depois de)
   _____
7. Ele tem um bom emprego, mas não está satisfeito. (apesar de)
   _____
8. Vocês veem o filme. Primeiro deviam ler o livro. (antes de)
   _____
9. Não temos aulas. Vamos ao museu. (no caso de)
   _____
10. Eles saem. Eu arrumo a casa. (depois de)
   _____

28.3. Complete as frases com as palavras listadas e com os verbos no **infinitivo pessoal**.

ao	até	para	por	sem

1. **Ao** _____ *entrarem* (entrar) em casa, viram que estava tudo desarrumado.
2. Não falem com o professor _____ eu _____ (chegar).
3. Comprei bilhetes _____ nós _____ (ir) ao concerto.
4. Ela não foi trabalhar _____ (estar) doente.
5. Fico aqui _____ vocês _____ (chegar).
6. As crianças ficaram contentíssimas _____ (abrir) os presentes.

Vão descendo que eu já vou.

Indo de táxi é mais rápido.

gerúndio simples

	-ar	*-er*	*-ir*
infinitivo	fala~~r~~	come~~r~~	abri~~r~~
gerúndio	**fala<u>ndo</u>**	**come<u>ndo</u>**	**abri<u>ndo</u>**

◇ Usamos o **gerúndio** para:

☐ **substituir uma oração coordenada**

Assaltaram a casa **e levaram** todos os valores.
Assaltaram a casa, **levando** todos os valores.

☐ **exprimir uma circunstância de tempo**

Quando viu o carro, parou.
Vendo o carro, parou.

☐ **indicar o modo**

Ele ouvia, **com lágrimas** nos olhos, o relato do acidente.
Ela ouvia, **chorando**, o relato do acidente.

realização gradual
ir + gerúndio

eu	**vou**	
tu	**vais**	
você ele ela	**vai**	**andando** **escrevendo** **fazendo**
nós	**vamos**	
vocês eles elas	**vão**	

Vão andando que nós estamos quase prontos.
Vai chamando o táxi que eu já desço.
Enquanto a mãe faz o almoço, a Ana **vai pondo** a mesa.
Enquanto o professor não chega, os alunos **vão lendo** o texto.

29.1. Complete as frases substituindo a parte destacada pelo **gerúndio**.

1. **Quando chego** a casa, ligo logo a televisão.
   Chegando a casa, ligo logo a televisão.
2. Junte o açúcar com a manteiga e **misture** bem.
   Junte o açúcar com a manteiga, _____.
3. As crianças entraram na escola **a cantar** e **a rir**.
   As crianças entraram na escola, _____.
4. Ela ganha a vida **a fazer** comida para fora.
   Ela ganha a vida _____.
5. A mãe ouvia, **com um sorriso**, as histórias do filho.
   A mãe ouvia, _____.
6. **Quando durmo** pouco, fico com dores de cabeça.
   _____, fico com dores de cabeça.

29.2. Como… ?

1. — Como é que os ladrões entraram?
   — _Partindo_ (partir) o vidro.
2. — Como é que a nódoa sai?
   — _____ (esfregar) com força.
3. — Como é que se demora menos tempo?
   — _____ (ir) pela autoestrada.
4. — Como é que se liga a máquina?
   — _____ (carregar) no botão.
5. — Como é que ele passou no exame?
   — _____ (copiar) pelo colega.
6. — Como é que partiste o braço?
   — _____ (cair) do escadote.
7. — Como é que conseguiste o emprego?
   — _____ (falar) com o diretor.
8. — Como é que arranjaram o dinheiro?
   — _____ (pedir) um empréstimo no banco.
9. — Como é que resolveste o problema?
   — _____ (comprar) um segundo carro.
10. — Como é que vocês ganharam o campeonato?
    — _____ (trabalhar) muito.

29.3. Complete com **ir + gerúndio**.

A

Enquanto o professor não chega, os alunos…
1. _vão lendo o texto_. (ler o texto)
2. _____. (escrever a composição)
3. _____. (fazer os exercícios)
4. _____. (ouvir o CD)
5. _____. (estudar a gramática)
6. _____. (preparar a lição)

B

Enquanto a D. Rute vai às compras, a empregada…
1. _vai fazendo as camas_. (fazer as camas)
2. _____. (arrumar os quartos)
3. _____. (limpar o pó)
4. _____. (estender a roupa)
5. _____. (preparar o almoço)
6. _____. (pôr a mesa)

C

Enquanto o senhor doutor está na reunião, eu…
1. _vou telefonando aos clientes_. (telefonar aos clientes)
2. _____. (fazer os relatórios)
3. _____. (traduzir a carta)
4. _____. (arquivar os processos)
5. _____. (tirar fotocópias)
6. _____. (preencher os impressos)

haver; haver de + infinitivo

Não **há** nada dentro da caixa.

Há um coelho dentro da caixa.

Há dois coelhos dentro da caixa.

verbo haver / forma impessoal

presente	p.p.s.	imperfeito	p.p.c.	p.m.q.p.c.	futuro	condicional
há	**houve**	**havia**	**tem havido**	**tinha havido**	**haverá**	**haveria**

◇ O verbo **haver** pode ser equivalente a:

☐ **ter**
Há morangos para a sobremesa. (= Temos morangos para a sobremesa.)

☐ **dar / ser transmitido**
Hoje **há** um bom filme na televisão. (= Hoje dá / é transmitido um bom filme na televisão.)

☐ **estar**
Havia muita gente na rua àquela hora. (= Estava muita gente na rua àquela hora.)

☐ **existir**
Há várias teorias sobre esse assunto. (= Existem várias teorias sobre esse assunto.)

☐ **acontecer / passar-se**
O que é que **houve**? (= O que é que aconteceu / se passou?)

intenção / convicção
haver de + infinitivo

eu	**hei de**	
tu	**hás de**	
você ele ela	**há de**	**fazer** **ir** **ser**
nós	**havemos de**	
vocês eles elas	**hão de**	

◇ Usamos **haver de + infinitivo** para exprimir forte **intenção** ou **convicção** relativamente a ações ou factos futuros.

— O que é que queres ser mais tarde?
— **Hei de** ser médico.

— Já encontraste a tua mala?
— Ainda não, mas **hei de encontrar**.

Fomos a Évora. É uma cidade tão bonita que **havemos de voltar** lá.

30.1. Substitua o verbo destacado pela forma correta do verbo **haver**.

1. Ontem não **tivemos** aulas.

   Ontem não houve aulas.

2. Ainda **estão** duas pessoas na sala de espera.

   _____.

3. **Temos tido** muito trabalho ultimamente.

   _____.

4. Ontem à noite **deu** um programa muito interessante na televisão.

   _____.

5. Antigamente **existia** um café naquela esquina.

   _____.

6. Amanhã **temos** uma visita de estudo ao Mosteiro dos Jerónimos.

   _____.

7. Tu não estás bem. O que é que **aconteceu**?

   _____?

8. Depois da palestra, **tivemos** um debate.

   _____.

9. **Temos** tempo para tomar um café?

   _____?

10. **Está** alguém no escritório a esta hora?

   _____?

11. Não, não **está** lá ninguém.

   _____.

12. Depois do sorteio, **teremos** uma festa--convívio.

   _____.

13. Disseram que no próximo ano **teriam** mais bolsas de estudo para atribuir.

   _____.

30.2. A Lídia está a conversar com a Eunice sobre o cruzeiro que tenciona fazer ao Mediterrâneo. Complete o diálogo com **haver de + infinitivo** na forma correta.

Lídia: Um cruzeiro pelo Mediterrâneo _____ (ser) uma experiência muito interessante. Eu _____ (conhecer) outras terras e outros povos.

Eunice: Sim, e tu _____ (aprender) muito sobre os costumes desses países.

Lídia: Eu e o meu marido _____ (tirar) fotografias para te mostrarmos.

Eunice: Ótimo. Acho que vocês nunca _____ (esquecer) essas férias. _____ (divertir-se) bastante e depois _____ (contar)-me tudo.

Lídia: Claro, e um dia, quem sabe, _____ (ir) tu connosco.

30.3. Substitua o futuro por **haver de + infinitivo** na forma correta.

1. Eles **serão** contactados ainda hoje.

   Eles hão de ser contactados ainda hoje.

2. Da próxima vez **farás** o que o médico te aconselhar e tudo **correrá** bem.

   _____.

3. Seguindo as indicações do mapa, **encontrarão** facilmente o hotel.

   _____.

4. Durante a nossa estadia em Lisboa, **visitaremos** o Mosteiro dos Jerónimos.

   _____.

5. Faz como te expliquei e não **haverá** problemas.

   _____.

6. Eles gostaram imenso de Veneza. Um dia, também eu lá **irei**.

   _____.

poder, conseguir, saber, conhecer, dever, ter de / que, precisar de

poder

☐ **possibilidade / oportunidade**

Ele tem tido muito trabalho. Só agora é que **pode** tirar férias.

Hoje não **posso** ir com vocês.

☐ **proibição** (negativa)

Não se **pode** fumar nos transportes públicos.

O senhor **não pode** estacionar aqui o carro.

☐ **pedir / dar autorização**

— **Posso** entrar?

— **Pode, pode.**

conseguir

☐ **capacidade física / mental**

Ele não **consegue** estudar com barulho.

— **Consegues** ver alguma coisa?

— Não. Sem óculos não **consigo** ver nada.

saber

☐ **ter conhecimentos para**

— **Sabes** trabalhar com esta máquina?

— Não, não **sei**.

A minha mãe **sabe** falar russo.

conhecer

☐ **já ter visto / já ter ido**

— **Conheces** o irmão da Luciana?

— **Conheço**, foi meu colega na escola.

Ainda não **conheço** a tua casa nova.

dever

☐ **probabilidade**

É meia-noite. A estas horas não **deve** estar ninguém no escritório.

☐ **obrigação moral** (o que está certo)

Um jornalista **deve** ter cultura geral.

Não **devias** fumar. Faz mal à saúde.

ter de / que

☐ **forte necessidade**

Tenho que tomar o antibiótico 3 vezes por dia.

☐ **obrigação**

Nos elevadores as crianças **têm de** ir acompanhadas por um adulto.

precisar de

☐ **necessidade**

Vou ao banco. **Preciso** de levantar dinheiro.

Vou às compras. A minha mãe **precisa de** ovos, açúcar e manteiga para fazer um bolo.

31.1. Complete com **poder**, **conseguir**, **saber**, **conhecer** na forma correta.

1. _Podia_ dizer-me as horas, por favor?
2. Não _____ tocar piano. Nunca aprendi.
3. A Lia não _____ sair. Tem exame amanhã.
4. _____ fazer um telefonema?
5. Não _____ abrir a janela. Ajudas-me?
6. — _____ nadar?
   — _____ , mas não muito bem.
7. Estava cansadíssimo, mas não _____ dormir.
8. — _____ o Porto?
   — Não, não _____ .
9. Ele não _____ ir à festa no sábado. Estava doente.
10. Não _____ ver nada. Está muita gente à minha frente.
11. Não _____ falar espanhol, mas _____ perceber quase tudo.
12. — _____ os meus pais?
    — Muito prazer. Como estão?
13. Esse rio é perigoso. Não se _____ tomar banho.
14. Ele falou tão depressa que nós não _____ compreender nada.
15. _____ o Algarve muito bem. Vivi em Faro durante 10 anos.

31.2. Complete com **precisar de** na forma correta.

1. Estás a ficar muito gorda.
   (fazer ginástica) _Precisas de fazer ginástica._
2. A roupa está suja.
   (lavar) _Precisa de ser lavada._
3. Os elevadores não funcionam.
   (arranjar) _____ .
4. Não tenho nada em casa.
   (ir às compras) _____ .
5. Tens o cabelo muito comprido.
   (cortar) _____ .
6. As calças estão rasgadas.
   (coser) _____ .

31.3. Complete com **dever** na forma correta.

A

1. — Sabes se a Denise está em casa?
   — (provavelmente está) _Deve estar._
2. — De quem é este dicionário de português?
   — (provavelmente é da Mary) _____ .
3. — Ninguém atende o telefone.
   — (provavelmente estão de férias) _____ .
4. — Estou com febre.
   — (provavelmente está com gripe) _____ .
5. — Ainda não foste ver esse filme?
   — (provavelmente vou amanhã) _____ .
6. — Houve um acidente na autoestrada.
   — (provavelmente ele chega atrasado) _____ .

B

1. Estás muito gordo. _Devias_ comer menos.
2. Vocês não _____ fumar. Faz mal à saúde.
3. Se não se sente bem _____ ir ao médico.
4. Eles convidaram-nos para a festa. _____ telefonar a agradecer.
5. _____ sair agora, senão chegas atrasado.
6. O filme é muito violento. Acho que tu não o _____ ver.

31.4. Complete com **ter de / que** na forma correta.

1. _Temos de_ ganhar o jogo hoje. É a nossa última oportunidade.
2. O banco está quase a fechar. (Eu) _____ sair já.
3. Eles compraram o andar. Mas, para isso, _____ pedir um empréstimo.
4. O filme é ótimo. (Vocês) _____ vê-lo.
5. Se queres passar no exame, _____ estudar mais.
6. Ainda fico a trabalhar. _____ acabar estas cartas.

passiva
ser + particípio passado

Camões escreveu "Os Lusíadas" = "Os Lusíadas" foram escritos por Camões.

◇ Forma-se com o verbo auxiliar **ser**, no mesmo tempo do verbo da voz ativa, seguido do **particípio passado do verbo principal**, que concorda em género e número com o sujeito.

◇ O complemento direto da ativa passa a sujeito da passiva; o sujeito da ativa passa a complemento agente da passiva, regido pela preposição **por**, contraída (ou não) com o artigo.

> ☞ por + o = pelo   por + os = pelos
> por + a = pela   por + as = pelas

sujeito	predicado	complemento direto
A Raquel	compra	os bilhetes.
	comprou	
	tinha comprado	
	comprará	
	vai comprar	

sujeito	predicado	complemento agente da passiva
Os bilhetes	são comprados	pela Raquel.
	foram comprados	
	tinham sido comprados	
	serão comprados	
	vão ser comprados	

A Diana <u>desenhou</u> essas gravuras. = Essas gravuras **foram desenhadas** pela Diana.
Nós <u>estamos a organizar</u> a festa. = A festa **está a ser organizada** por nós.
A UNICEF <u>tem ajudado</u> muitas crianças. = Muitas crianças **têm sido ajudadas** pela UNICEF.

◇ Omissão do complemento agente da passiva:
  ☐ quando na voz ativa o sujeito é **indeterminado** e não está expresso, o complemento agente da passiva é omitido.

sujeito	predicado	complemento direto
--------	Construíram	novas estradas.

sujeito	predicado	complemento agente da passiva
Novas estradas	foram construídas.	--------------------------

Ainda <u>estão a analisar</u> a proposta. = A proposta ainda **está a ser analisada**.
<u>Deviam informar</u> toda a gente. = Toda a gente **devia ser informada**.

32.1. Faça frases na **passiva**.

1. O jornalista Rui Silva escreveu o artigo.
   O artigo foi escrito pelo jornalista Rui Silva.
2. O presidente vai inaugurar a exposição.
   A exposição _____
3. A empresa oferece o almoço.
   _____
4. O canal 6 transmitirá o jogo para toda a Europa.
   _____
5. A empregada já tinha arrumado os quartos.
   _____
6. O clima da região atrai muitos turistas.
   _____
7. O barulho acordou as crianças.
   _____
8. Essa agência tem contratado muitos jovens.
   _____
9. A nossa equipa ganhou o 1.º prémio.
   _____
10. As crianças da creche fizeram os desenhos.
    _____

32.2. Ponha as frases na **passiva**.

1. Chamaram a ambulância imediatamente.
   A ambulância foi chamada imediatamente.
2. Viram o criminoso perto da fronteira.
   O criminoso
3. Assaltaram o banco na noite passada.
   _____
4. Aumentaram os impostos.
   _____
5. Vão construir mais escolas.
   _____
6. Vão abrir o hotel no próximo verão.
   _____

32.3. Complete com o verbo na **passiva**.

1. Onde está a minha bicicleta? (roubar)
   Foi roubada?!
2. O que é que aconteceu à ponte? (destruir)
   _____ ?!
3. Onde está o meu carro? (rebocar)
   _____ ?!
4. Porque é que há tantos polícias no banco? (assaltar)
   _____ ?!
5. Onde estão os documentos? (roubar)
   _____ ?!
6. O que é que aconteceu àquela senhora? (atacar)
   _____ ?!

32.4. Responda com uma frase na **passiva**.

1. — Foste tu que **pagaste** o jantar?
   — Sim, sim. *O jantar foi pago por mim.*
2. — Foi a Dina que **ganhou** o jogo?
   — Sim, sim. *O jogo* _____ .
3. — Foi o Tiago que **encontrou** os documentos?
   — Sim, sim. _____ .
4. — Foi a agência que **ofereceu** a viagem?
   — Sim, sim. _____ .
5. — Foram vocês que **encomendaram** as flores?
   — Sim, sim. _____ .
6. — Foi ele que **fez** os exercícios?
   — Sim, sim. _____ .
7. — Foram eles que **escreveram** o artigo?
   — Sim, sim. _____ .
8. — Fui eu que **parti** o vidro?
   — Sim, sim. _____ .

antes		agora
Os sapatos *estavam sujos*.	Ele limpou os sapatos.	Os sapatos **estão limpos**.
A janela *estava fechada*.	Ela abriu a janela.	A janela **está aberta**.

Passiva
resultado da ação
estar + particípio passado

		resultado
Já fizeram os exercícios.	= Os exercícios já foram feitos.	Os exercícios **estão feitos**.
O João pagou o almoço.	= O almoço foi pago pelo João.	O almoço **está pago**.
Já marcaram a reunião.	= A reunião já foi marcada.	A reunião **está marcada**.
Assinaram ontem o contrato.	= O contrato foi assinado ontem.	O contrato **está assinado**.

particípios duplos

	regular (auxiliar *ter*)	irregular (auxiliar *ser* e *estar*)
aceitar	**aceitado**	**aceite**
acender	**acendido**	**aceso**
entregar	**entregado**	**entregue**
ganhar*	**ganhado**	**ganho**
gastar*	**gastado**	**gasto**
limpar*	**limpado**	**limpo**
matar	**matado**	**morto**
pagar*	**pagado**	**pago**
prender	**prendido**	**preso**
romper	**rompido**	**roto**
salvar	**salvado**	**salvo**
secar	**secado**	**seco**

☞ *Nestes verbos, a forma irregular também é usada com o auxiliar *ter*.

◇ Nos verbos com **particípios duplos** usamos o **particípio regular** com o auxiliar **ter** (tempos compostos); o **particípio irregular** é usado com os auxiliares **ser** e **estar** (voz passiva).

◇ O **particípio regular** é **invariável**; o **particípio irregular** concorda em **género** e **número** com o **sujeito**.

Os bombeiros **tinham salvado** as crianças.
Isto é: As crianças **tinham sido salvas** pelos bombeiros.
Resultado: As crianças **estavam salvas**.

Quando cheguei a casa alguém já **tinha acendido** as luzes.
Isto é: As luzes já **tinham sido acesas**.
Resultado: As luzes já **estavam acesas**.

A polícia **tem prendido** vários membros da quadrilha.
Isto é: Vários membros da quadrilha **têm sido presos**.
Resultado: Vários membros da quadrilha **estão presos**.

33.1. Complete as frases com **estar + particípio passado**, expressando o resultado da ação.

1. Já foi tudo combinado. Portanto, *está tudo combinado.*
2. A janela foi fechada. Portanto, *a janela* _____.
3. Os sapatos foram limpos. Portanto, _____.
4. Os alunos foram informados. Portanto, _____.
5. O quarto já foi arrumado. Portanto, _____.
6. O contrato foi assinado. Portanto, _____.
7. A encomenda foi entregue. Portanto, _____.
8. A resposta foi dada. Portanto, _____.
9. O carro foi arranjado. Portanto, _____.
10. As contas já foram feitas. Portanto, _____.

33.2. Faça frases com **estar + particípio passado**.

1. Já paguei a conta. *A conta está paga.*
2. A empregada fez as camas. *As camas* _____.
3. Alguém acendeu as luzes. _____.
4. O professor já corrigiu os testes. _____.
5. A Teresa pôs a mesa. _____.
6. Ele abriu a porta. _____.
7. Já informei as pessoas. _____.
8. Ela rompeu o vestido. _____.
9. Ele entregou os documentos. _____.
10. Já sequei o cabelo. _____.

33.3. Transforme as frases destacadas em frases passivas com o auxiliar **estar + particípio passado**.

1. Quando me sentei, vi que **tinha rompido a saia**.
   Quando me sentei, vi que *a saia estava rota.* _____
2. **A minha camisola de lã já foi lavada**? Preciso dela.
   A minha camisola de lã já está lavada? Preciso dela.
3. A máquina de lavar loiça não funcionava. **Já foi arranjada**?
   A máquina de lavar loiça não funcionava. _____?
4. **O dentista arranjou-lhe os dentes**. Agora já não lhe doem.
   _____. Agora já não lhe doem.
5. Podem sair depois de **fazerem os exercícios**.
   Podem sair depois de _____.
6. A polícia anunciou que **tinham matado o chefe da quadrilha**.
   A polícia anunciou que _____
7. **Já pus a mesa**. Venham jantar, meninos.
   _____. Venham jantar, meninos.
8. Quando os bombeiros chegaram ao local do incêndio, **todas as pessoas já tinham sido salvas**.
   Quando os bombeiros chegaram ao local do incêndio, _____.

◇ Usamos esta estrutura quando o agente é **desconhecido**, **indeterminado** ou **irrelevante** para a informação contida na frase.

Publicou-se a notícia no jornal.
= A notícia foi publicada no jornal. (desconhece-se por quem)

Em Portugal **bebe-se** muito café.
= Em Portugal as pessoas bebem muito café.
= Muito café é bebido em Portugal. (por muitas pessoas)

Pode **ver-se** o vídeo no *YouTube*.
= O vídeo pode ser visto no *YouTube*. (por qualquer pessoa)

Marcou-se a reunião para amanhã de manhã.
= Marcaram a reunião para amanhã de manhã.
= A reunião foi marcada para amanhã de manhã. (não é relevante por quem)

Ouviram-se os gritos na rua.
= Os gritos foram ouvidos na rua. (por quem passava)

◇ O verbo – na voz ativa – conjuga-se na 3.ª pessoa, singular ou plural, concordando com a expressão nominal, sujeito da oração passiva, que vem sempre depois do verbo.

Fala-se <u>inglês</u>.
Compram-se <u>moedas antigas</u>.
Fizeram-se <u>três testes</u> durante o ano.

◇ O **_se_** surge antes ou depois do verbo, seguindo a regra da colocação dos pronomes. (ver Unidade 15)

Aceitam-se cartões de crédito.
Não **_se aceitam_** cheques.
Já **_se sabe_** o nome do vencedor.

72

Unidade 34

34.1. Faça frases com *se* apassivante.

1. alugar / quartos
   Alugam-se quartos.

2. precisar de / motorista

3. vender / apartamentos

4. comprar / roupas usadas

5. falar / francês

6. dar / explicações

7. alugar / sala para congressos

8. servir / pequenos-almoços

9. admitir /cozinheiras

10. aceitar / cheques

34.2. Transforme as frases na ativa em frases com *se* apassivante.

1. Em Portugal as pessoas veem muito televisão.
   Em Portugal vê-se muito televisão.

2. A 25 de abril as pessoas comemoram a liberdade.
   A 25 de abril

3. No Natal as pessoas comem bacalhau à consoada.
   No Natal

4. Com o calor as pessoas bebem mais água.
   Com o calor

5. Em junho as pessoas festejam os Santos Populares.
   Em junho

6. Para atravessar o rio as pessoas apanham o barco.
   Para atravessar o rio

34.3. Transforme as frases usando *se* apassivante.

1. Inauguraram ontem a ponte.
   Inaugurou-se ontem a ponte.

2. Alugaram duas camionetas para o passeio.

3. Colocaram o anúncio na Internet.

4. Ultimamente têm construído muitas escolas.

5. Já marcaram a viagem.

6. Fizeram obras no museu.

34.4. Transforme as frases na passiva em frases com *se* apassivante.

1. A alface é lavada e temperada em seguida.
   Lava-se a alface e tempera-se em seguida.

2. As batatas são cozidas e depois descascadas.

3. Os ovos são batidos com o açúcar.

4. A carne é picada e depois misturada com o molho.

5. O peixe é arranjado e passado por farinha.

6. O queijo é cortado e posto no pão.

discurso direto e indireto

O Vítor disse que **estava** doente e que não **ia** à escola.

Eles disseram que já **tinham visto** o filme.

Ele disse que **teria** muito gosto em trabalhar **com eles**.

		discurso direto	discurso indireto
tempos verbais		presente	imperfeito
		pretérito perfeito simples pretérito perfeito composto	pretérito mais-que-perfeito composto
		futuro imperfeito	condicional presente
advérbios/ expressões de	lugar	aqui	ali
		cá	lá
	tempo	ontem	no dia anterior
		hoje	nesse dia / naquele dia
		amanhã	no dia seguinte
		na próxima semana	na semana seguinte
pessoais / possessivos		1ª e 2ª pessoa	3ª pessoa
demonstrativos		este / esse	aquele
		isto / isso	aquilo

No fim de semana passado, a Inês encontrou o Vítor numa festa.

Verbos introdutórios para o discurso indireto:

dizer / contar / perguntar / responder / querer / saber

O Vítor perguntou à Inês se ela **tomava** uma bebida.

O Vítor disse à Inês que a festa **estava** muito animada.

O Vítor perguntou à Inês se ela **queria** dançar.

O Vítor perguntou à Inês se **tinha visto** o Martim.

O Vítor contou à Inês que *na semana seguinte* **ia** de férias para o Algarve.

O Vítor perguntou à Inês como **iam** as aulas *dela*.

O Vítor disse à Inês que **tinha entrado** para a universidade e que **gostava** muito do curso *dele*.

35.1. Ontem à tarde você encontrou a Paula, uma amiga sua, que lhe contou muitas coisas.

1. Estou a viver em casa dos meus pais.
2. No próximo mês vou mudar para um apartamento novo.
3. Vou casar-me na próxima semana.
4. Não tenho tempo para preparar nada.
5. Tirei uns dias de férias para tratar de tudo o que é necessário.
6. Queres vir jantar a minha casa?
7. O meu futuro marido também irá ao jantar.
8. Ele trabalha numa consultora.
9. Já fizemos os planos para a lua de mel.
10. Vamos fazer um cruzeiro pelo Mediterrâneo.
11. Partiremos logo a seguir ao casamento.
12. Claro que estás convidada para a festa!

À noite, você está a conversar com outra amiga e conta-lhe tudo o que a Paula disse.

1. A Paula disse-me que _estava a viver em casa dos pais dela._
2. Ela disse que _____
3. Ela informou-me que _____
4. Ela queixou-se que _____
5. Ela contou-me que _____
6. Ela perguntou-me se _____
7. Ela disse-me que _____
8. Ela contou-me que _____
9. Ela disse-me que _____
10. Ela disse-me que _____
11. Ela contou-me que _____
12. Ela assegurou-me que _____

35.2. Imagine que um amigo seu lhe tinha dito uma coisa e agora lhe diz exatamente o contrário. Use verbos de opinião como **pensar que** / **julgar que** para esclarecer.

1. — Este restaurante é caro.
   — _Pensei que tinhas dito que não era caro._
2. — Não vou ao cinema.
   — _Julguei que_
3. — O filme foi bom.
   —
4. — A Julieta gosta do Sebastião.
   —
5. — Eles vão casar-se.
   —
6. — Nunca tomo café.
   —
7. — Não quero falar com eles.
   —
8. — Não posso ir à festa.
   —
9. — Hoje à noite fico em casa.
   —
10. — Chumbei no exame.
    —
11. — O empregado é simpático.
    —
12. — Paguei o almoço.
    —
13. — Gastei o dinheiro todo.
    —
14. — O Hugo também vem connosco.
    —

artigos definidos e indefinidos

artigos definidos		
	masculino	feminino
singular	**o**	**a**
plural	**os**	**as**

artigos indefinidos		
	masculino	feminino
singular	**um**	**uma**
plural	**uns***	**umas***

* No plural tem uso restrito.

O Pedro tem **uma** irmã.

A irmã do Pedro chama-se Ana.

O Sr. Melo comprou **um** carro novo.

O carro d**o** Sr. Melo tem sistema de navegação.

Os livros estão n**a** estante.

As colegas d**a** Joana vão a**o** cinema.

Encontrei **uns** óculos n**o** café.

Comprei **umas** flores para **a** avó.

◇ O **artigo**, **definido** e **indefinido**, precede o nome e concorda com ele em género e número.

◇ Usamos o **artigo definido** com:

☐ **nomes próprios**   **A** Carolina e **o** Diogo são amigos.

☐ **estações do ano**   **O** verão é a estação mais quente do ano.

☐ **datas festivas**   Eles passam **o** Natal e **a** Páscoa com a família.

☐ **continentes**   Portugal é o país mais ocidental d**a** Europa.

☐ **nomes de países**   **O** Brasil, **os** Estados Unidos, **a** Guiné-Bissau, **a** Suíça, ...

☐ **alguns nomes de cidades**   **O** Rio de Janeiro, **o** Porto, **o** Funchal, ...

☐ **possessivos**   Este é **o** meu livro, **o** teu está ali.

◇ **Não** usamos o **artigo definido** antes de:

☐ **meses**   Estamos em janeiro.

☐ **datas**   É dia 1 de janeiro.

☐ **vocativos**   Olá, Pedro!

☐ **alguns nomes de países**   Portugal, Angola, Moçambique, Cabo Verde, São Tomé e Príncipe, Marrocos, Israel, ...

☐ **nomes de cidades**   Lisboa, Paris, Londres, Madrid, Maputo, Luanda, Macau, Nova Iorque, ...

36.1. Complete com os **artigos definidos**.

1. ____ lápis	11. ____ homem	21. ____ pai	31. ____ calças
2. ____ canetas	12. ____ mulher	22. ____ mãe	32. ____ casaco
3. ____ borracha	13. ____ senhor	23. ____ filho	33. ____ saia
4. ____ livros	14. ____ senhora	24. ____ filha	34. ____ vestido
5. ____ pasta	15. ____ rapaz	25. ____ irmão	35. ____ camisa
6. ____ cadeiras	16. ____ rapariga	26. ____ irmã	36. ____ sapatos
7. ____ mesa	17. ____ menino	27. ____ tio	37. ____ blusa
8. ____ quadro	18. ____ menina	28. ____ tia	38. ____ lenço
9. ____ janelas	19. ____ amigo	29. ____ avô	39. ____ gravata
10. ____ porta	20. ____ amiga	30. ____ avó	40. ____ cinto

36.2. Complete com os **artigos indefinidos**.

1. ____ árvore	4. ____ casa	7. ____ país	10. ____ viagem
2. ____ rua	5. ____ apartamento	8. ____ cidade	11. ____ passeio
3. ____ carro	6. ____ vivenda	9. ____ vila	12. ____ férias

36.3. Complete com os **artigos definidos** ou **indefinidos**.

1. Lisboa é _____ cidade bonita.

2. Nunca visitei _____ Ásia.

3. Tenho _____ avó com 90 anos.

4. _____ primavera é a estação das flores.

5. Onde é que vais passar _____ Carnaval?

6. Poderia dar-me _____ informação, por favor?

7. Eles foram de férias para _____ Brasil.

8. _____ Luís e _____ Mara são amigos.

9. Mandei _____ mensagem ao Pedro, mas ele ainda não me respondeu.

10. Portugal é _____ país da União Europeia.

11. Comprei _____ calças e _____ sapatos nos saldos.

12. _____ férias grandes estão a chegar.

13. Hoje vamos a _____ restaurante indiano.

14. Eles têm dois filhos: _____ rapaz e _____ rapariga.

15. _____ rapaz chama-se Miguel e _____ rapariga chama-se Margarida.

16. Queria _____ café, por favor.

demonstrativos invariáveis

◇ **Isto, isso, aquilo** são **demonstrativos invariáveis** e usam-se para pedir a identificação de objetos ou para identificar objetos.

Isto	é	um livro.
		uma caneta.
	são	livros.
		canetas.

— O que é **isto**?
— **Isso** é um livro.

(a)

Isso	é	um livro.
		uma caneta.
	são	livros.
		canetas.

— O que é **isso**?
— **Isto** é uma caneta.

(b)

Aquilo	é	um livro.
		uma caneta.
	são	livros.
		canetas.

— O que é **aquilo**?
— **Aquilo** é um carro.

(c)

☐ **Isto** está perto da pessoa que fala (**eu**).
☐ **Isso** está perto da pessoa com quem se fala (**tu**).
☐ **Aquilo** está afastado do **eu** e do **tu**.

advérbios de lugar

◇ **Aqui, aí, ali** são **advérbios** que indicam o **lugar** e podem ser usados com os demonstrativos.

☐ **Aqui** indica que o objeto está perto da pessoa que fala. (**eu**) (a)
☐ **Aí** indica que o objeto está perto da pessoa com quem se fala. (**tu**) (b)
☐ **Ali** indica que o objeto está afastado do **eu** e do **tu**. (c)

Unidade 37

37.1. Complete com **isto** / **isso** / **aquilo**.

1. _____ aqui é um livro.

2. _____ aí é uma cadeira.

3. _____ ali é uma porta.

4. _____ aí são canetas.

5. _____ ali é um quadro.

6. _____ aqui é o dicionário de português.

7. _____ aqui é uma pasta.

8. _____ ali é uma escola.

9. _____ aqui são lápis.

10. _____ aí é uma borracha.

11. _____ aqui são livros.

12. _____ aí é uma janela.

37.2. Complete as respostas com **isto** / **isso** / **aquilo**.

1. — O que é **isto**?

— _____ é um lápis.

2. — O que é **aquilo**?

— _____ são dicionários.

3. — O que é **isso**, Ana?

— _____ são os livros de português.

4. — O que é **aquilo** ali?

— _____ são DVD.

5. — O que é **isto**?

— _____ é uma borracha.

6. — O que é **aquilo**?

— _____ é a porta.

7. — O que é **isso** aí?

— _____ é uma cadeira.

8. — O que é **aquilo** ali?

— _____ é a escola.

9. — O que é **isto** aqui?

— _____ são óculos.

10. — O que é **isso**?

— _____ são canetas.

11. — O que é **isto**?

— _____ é o quadro da sala.

12. — O que é **isto**?

— _____ são lápis de cor.

37.3. Responda às perguntas com **isto** / **isso** / **aquilo**.

1. — O que é isto? (livro)

— _Isso é um livro._ .

2. — O que é aquilo? (correios)

— _____ .

3. — O que é isto? (quadro da sala)

— _____ .

4. — O que é isso? (borracha)

— _____ .

5. — O que é isto? (canetas)

— _____ .

6. — O que é isto? (livros)

— _Isso são livros._ .

7. — O que é isso? (janela)

— _____ .

8. — O que é isto? (dicionário)

— _____ .

9. — O que é aquilo? (pasta do professor)

— _____ .

10. — O que é isso? (caneta)

— _____ .

demonstrativos variáveis

demonstrativos variáveis

singular	
masculino	**feminino**
este livro	**esta** caneta
esse livro	**essa** caneta
aquele livro	**aquela** caneta

plural	
masculino	**feminino**
estes livros	**estas** canetas
esses livros	**essas** canetas
aqueles livros	**aquelas** canetas

◇ Os demonstrativos variáveis

☐ usam-se com os nomes, expressos ou omitidos, em contexto.

Essa <u>caneta</u> não escreve. Use **esta**.
Este <u>casaco</u> é caro. **Aquele** é mais barato.

☐ concordam em género e número com o nome a que se referem.

Aqueles <u>livros</u> são do Afonso.
Desculpe, **esta** é a <u>Avenida</u> da Liberdade?

◇ **Este(s)**, **esta(s)** indicam que o nome a que se referem está perto da pessoa que fala (**eu**).

Esta revista <u>aqui</u> é minha.
Estes sapatos são muito confortáveis.
Toma. **Estas** flores são para ti.

◇ **Esse(s)**, **essa(s)** indicam que o nome a que se referem está perto da pessoa com quem se fala (**tu**).

Essa cadeira <u>aí</u> está partida.
Esse lugar ao teu lado está livre?
Essas calças ficam-te muito bem.

◇ **Aquele(s)**, **aquelas(s)** indicam que o nome a que se referem está afastado dos dois interlocutores (o **eu** e o **tu**).

— Quem é **aquela** rapariga <u>ali</u>?
— **Aquela** é a irmã da Paula.
Aquele café do outro lado da rua abriu ontem.

38.1. Complete com **este / esta / estes / estas**.

1. _____ pessoas	4. _____ casa	7. _____ sala	10. _____ mulher
2. _____ rapaz	5. _____ árvores	8. _____ quadro	11. _____ professor
3. _____ carro	6. _____ óculos	9. _____ livros	12. _____ raparigas

38.2. Complete com **esse / essa / esses / essas**.

1. _____ dicionário	4. _____ bolos	7. _____ escola	10. _____ flores
2. _____ canetas	5. _____ homem	8. _____ cadeiras	11. _____ rua
3. _____ café	6. _____ calças	9. _____ apartamento	12. _____ jardim

38.3. Complete com **aquele / aquela / aqueles / aquelas**.

1. _____ crianças	4. _____ alunos	7. _____ caneta	10. _____ país
2. _____ bicicleta	5. _____ borrachas	8. _____ pássaros	11. _____ cidades
3. _____ táxi	6. _____ filme	9. _____ lugar	12. _____ viagem

38.4. Complete com os demonstrativos variáveis.

1. — O que é isto? (bolo / de chocolate)

— Isso é um bolo. *Esse bolo é de chocolate.*

2. — O que é aquilo? (flores / artificiais)

— Aquilo são flores. _____

3. — O que é isso? (presente / para o professor)

— Isto é um presente. _____

4. — O que é isto? (óculos / da Dália)

— Isso são óculos. _____

5. — O que é aquilo? (supermercado / novo)

— Aquilo é um supermercado. _____

38.5. Complete com **este(s) / esta(s) / esse(s) / essa(s)**.

1. *Essa* caneta não escreve.

Use *esta*.

2. _____ dicionário não é bom.

Toma _____.

3. _____ óculos são muito escuros.

Põe _____.

4. _____ camisola é pouco quente.

Veste _____.

5. _____ telemóvel não funciona.

Usa _____.

6. _____ cerveja não está fresca.

Bebe _____.

7. _____ bolo não está bom.

Prova _____.

8. _____ batatas estão frias.

Come _____.

9. _____ vestido não é bonito.

Compra _____.

10. _____ jornal é de ontem.

Lê _____.

O telemóvel do pai está na pasta **dele**.

possessivos

	1.ª e 2.ª pessoas			
	singular		plural	
possuidor	masculino	feminino	masculino	feminino
eu	(o) **meu** (livro)	(a) **minha** (caneta)	(os) **meus** (livros)	(as) **minhas** (canetas)
tu	(o) **teu** (livro)	(a) **tua** (caneta)	(os) **teus** (livros)	(as) **tuas** (canetas)
você / o senhor / a senhora	(o) **seu** (livro)	(a) **sua** (caneta)	(os) **seus** (livros)	(as) **suas** (canetas)
nós	(o) **nosso** (livro)	(a) **nossa** (caneta)	(os) **nossos** (livros)	(as) **nossas** (canetas)
vocês / os senhores / as senhoras	(o) **vosso** (livro)	(a) **vossa** (caneta)	(os) **vossos** (livros)	(as) **vossas** (canetas)

◇ Concorda em género e número com o nome a que se refere.

☐ antes do nome, quando expresso

Eu tenho um irmão e uma irmã. O **meu** irmão e a **minha** irmã estão em casa.
Os **meus** tios e as **minhas** primas vivem em Angola.

Tu tens um amigo francês e duas amigas timorenses. O **teu** amigo estuda em Coimbra e as **tuas** amigas estudam em Lisboa.

O Sr. Moura foi buscar o carro à garagem.
— O **seu** carro já está pronto, Sr. Moura. Tem aqui as **suas** chaves.

Nós andamos na escola. A **nossa** escola é moderna e os **nossos** professores são muito simpáticos.
— Olá, amigos. Encontrei os **vossos** pais no café.

— De quem é esta pasta?
— É **tua**. A **minha** está ali.

— Este jornal é **seu**, D. Ana?
— Sim, é **meu**, mas pode ler.

— Aquele carro é **vosso**?
— Não, o **nosso** está na garagem.

	3.ª pessoa	
possuidor	preposição *de*+pronome pessoal	
ele	(o livro; a caneta; os livros; as canetas)	**dele**
ela	(o livro; a caneta; os livros; as canetas)	**dela**
eles	(o livro; a caneta; os livros; as canetas)	**deles**
elas	(o livro; a caneta; os livros; as canetas)	**delas**

◇ Concorda em género e número com o possuidor.

☐ depois do nome, quando expresso

— De quem é esta caneta? É do Paulo?
— Sim, é a caneta **dele** e os lápis também são **dele**.
O Rui é primo da Mia e do Zé. É o primo **deles**.
A Márcia tem um vestido novo. Gosto muito do vestido **dela**.
A D. Alice é avó da Ema e da Lia, é a avó **delas**.

39.1. Responda às seguintes perguntas:

1. — De quem é esta bola? (eu)
   — *É minha.* .

2. — De quem são estes óculos? (ele)
   — *São dele.* .

3. — De quem é aquele dicionário? (vocês)
   — _____ .

4. — De quem são estas flores? (eu)
   — _____ .

5. — De quem é esse lápis? (tu)
   — _____ .

6. — De quem são estas revistas? (ela e ele)
   — _____ .

7. — De quem são essas malas? (nós)
   — _____ .

8. — De quem é este bolo? (ela)
   — _____ .

9. — De quem são aquelas canetas? (tu e você)
   — _____ .

10. — De quem é esta chave? (ele)
    — _____ .

11. — De quem é este café? (você)
    — _____ .

12. — De quem são estes chocolates? (eu e tu)
    — _____ .

39.2. Complete as seguintes frases:

1. Vi a Patrícia com o marido *dela* .
2. Vi o Sr. Rocha com a mulher _____ .
3. Vi a Júlia com o namorado _____ .
4. Vi o Rui e o Hugo com os pais _____ .
5. Vi o Leonardo com os filhos _____ .
6. Vi a Eva e a Inês com os amigos _____ .

39.3. Use os **possessivos**.

1. Nós temos um apartamento.
   É o nosso apartamento. .
2. Ele comprou uma máquina fotográfica.
   É a máquina fotográfica dele .
3. Você tem um carro.
   É _____ .
4. Eu ando nesta escola.
   É _____ .
5. Eu e tu dormimos no mesmo quarto.
   É _____ .
6. Ela comprou uma mala.
   É _____ .
7. Tu e o Rodrigo têm muitos amigos.
   São _____ .
8. A Mónica e a Elsa já têm namorados.
   São _____ .
9. Vamos sempre para esta praia.
   É _____ .
10. Você tem muitas canetas.
    São _____ .
11. O Sr. Aguiar está no escritório.
    É _____ .
12. Vocês têm muitos livros.
    São _____ .
13. Eu e o meu irmão ainda temos avós.
    São _____ .
14. Tu tens uma casa nova.
    É _____ .
15. Eles têm dois filhos.
    São _____ .
16. Tu e a tua irmã têm um dicionário.
    É _____ .
17. Nós temos uma filha.
    É _____ .
18. Ofereceram-me um portátil.
    É _____ .

como...?

— **Como** é que se chama?
— Olívia Reis.

— **Como** é que está o tempo no Algarve?
— Está muito calor.

— **Como** está o senhor?
— Bem, obrigado.

— **Como** é a nova secretária?
— É alta, morena e muito simpática.

— **Como** é a vossa casa?
— É grande. Tem 6 assoalhadas.

— **Como** é que vais para a escola?
— Vou de autocarro.

onde...? (local)

— **Onde** está a minha caneta?
— Está em cima da mesa.

— **De onde** és?
— Sou de Lisboa.

— **Aonde** vais?
— Vou ao supermercado.

— **Para onde** vão?
— Vamos para casa.

— **Por onde** vieram?
— Viemos pela ponte.

que...?

— **Que** horas são?
— É meio-dia.

— **Que** dia é hoje?
— Hoje é sexta-feira.

— **A que** horas chega o avião?
— Às 9h40.

— **Em que** ano nasceste?
— Em 1985.

— **De que** cor é o teu carro?
— É preto.

— **Porque** é que faltaste às aulas?
— Porque estive doente.

qual / quais...?

— **Qual** é a profissão dele?
— É médico.

— **Quais** são os teus livros? Estes ou aqueles?
— São esses.

quem...? (pessoas)

— **Quem** é aquela senhora?
— É a nova professora.

— **De quem** são esses livros?
— São meus.

— **A quem** é que emprestaste o dicionário?
— Ao Frederico.

— **Para quem** é essa prenda?
— É para a minha namorada.

— **Com quem** é que vieste?
— Com os meus pais.

quanto(s) / quanta(s)...?

— **Quanto** é um bilhete de ida e volta?
— São 7,48 €.

— **Quanto tempo** demora a viagem?
— Três horas.

— **Há quanto tempo** estás na paragem?
— Há meia hora (30 minutos).

— **Quantos** anos tens?
— Tenho 15.

— **Quantas** cadeiras há na sala?
— Há 6 cadeiras.

quando...? (tempo)

— **Quando** é que vocês chegaram?
— Chegámos ontem à noite.

o quê?

— Ele foi despedido.
— **O quê?** Não acredito.

porquê?

— Afinal já não vou sair.
— **Porquê?** Estás doente?

o que...?

— **O que** é que fizeste no sábado?
— Fui à praia.

☞ Os interrogativos são frequentemente reforçados pela expressão de realce **é que**:
☐ antes do verbo que acompanha o interrogativo:
Onde **é que** moras?
Como **é que** te chamas?
☐ depois do nome que acompanha o interrogativo:
Quanto tempo **é que** demora a operação?

40.1. Complete com **quantos / quantas / como / onde / qual / o que / de que cor / quanto tempo / quem / a que horas**.

1. — _____ é aquele rapaz?
   — É o meu irmão.
2. — _____ começam as aulas?
   — Às 8h00.
3. — _____ é a bandeira portuguesa?
   — É verde e encarnada.
4. — _____ é que estás a ler?
   — Um romance.
5. — _____ é o teu chapéu de chuva?
   — É aquele.

6. — _____ demorou a viagem?
   — Demorou cerca de quatro horas.
7. — _____ anos tem a Joana?
   — Tem 18.
8. — _____ vezes tomas o remédio?
   — 3 vezes por dia.
9. — _____ foi a festa?
   — Foi ótima.
10. — _____ é que vives?
    — Em Lisboa.

40.2. Faça perguntas para obter como resposta a parte destacada da frase.

1. *Como foi a viagem?* _____ A viagem foi **cansativa**.
2. _____ ? Demorámos **seis horas**.
3. _____ ? Chegámos **por volta das 19h00**.
4. _____ ? Fomos diretos **para o hotel**.
5. _____ ? **Desfizemos as malas**.
6. _____ ? Jantámos **num pequeno restaurante**.
7. _____ ? Comemos **bife com batatas fritas**.
8. _____ ? Voltámos **a pé** para o hotel.
9. _____ ? A noite estava **quente**.
10. _____ ? Deitámo-nos cedo **porque estávamos cansados**.

40.3. Complete com:

onde / preposição + onde

1. — _____ fica o supermercado?
   — Na Avenida da República.
2. — _____ vão nas férias?
   — Para Cabo Verde.
3. — _____ vieram?
   — Pela autoestrada.
4. — _____ és?
   — De Lisboa.

quem / preposição + quem

5. — _____ é que encontraste?
   — O Tomás e a Rosa.
6. — _____ deste o recado?
   — À empregada.
7. — _____ são as flores?
   — Para a minha mãe.
8. — _____ estão a falar?
   — Da nova professora.

o que / que / preposição + que

9. — _____ é isso?
   — São postais de São Tomé.
10. — _____ horas são?
    — É meio-dia.
11. — _____ horas chega o comboio?
    — Às 19h30.
12. — _____ ano foi a revolução?
    — Em 1974.

quanto / quantos / quantas

13. — _____ é que ganhas?
    — 997,60 €.
14. — _____ alunos há na turma?
    — 30.
15. — _____ pessoas morreram?
    — 6.
16. — _____ é?
    — São 10,75 €.

indefinidos variáveis

pessoas ou coisas	singular		plural	
	masculino	feminino	masculino	feminino
	algum	alguma	alguns	algumas
	nenhum	nenhuma	nenhuns	nenhumas
	muito	muita	muitos	muitas
	pouco	pouca	poucos	poucas
	tanto	tanta	tantos	tantas
	todo	toda	todos	todas
	outro	outra	outros	outras

algum / nenhum

— Há **algum** lugar livre?
— Não, não há **nenhum**.

Alguns alunos não puderam vir.
Não vieram **nenhuns** (alunos) do 10.º ano.

muito / pouco

A avó tem **muita** paciência para as crianças,
mas o avô tem **pouca** paciência.

— Ainda estão **muitas** pessoas no estádio?
— Não. Já estão **poucas**.

tanto

Podem apanhar laranjas. Há **tantas** na árvore.
Estão **tantos** polícias à porta do banco.

todo

Vou **todos** os dias à escola.
Todos os meus amigos vieram à festa.
Vamos jantar. Está **toda** a gente com fome.

outro

Este bolo está ótimo. Vou comer **outro**.
A secretária despediu-se. Vamos contratar **outra**.

indefinidos invariáveis

pessoas	**alguém**	**ninguém**
coisas	**tudo**	**nada**

alguém / ninguém

— Está **alguém** no escritório?
— A esta hora _não_ está lá **ninguém**.

Alguém partiu o vidro.
Ninguém me disse o que se passava.

tudo / nada

Ele comeu **tudo**: a sopa, o bife com arroz e a fruta.
Sem os óculos _não_ vejo **nada**.

Unidade 41

41.1. Complete com os **indefinidos variáveis** e **invariáveis**.

1. — Encontraste *alguém* no café?
   — Não, não encontrei *ninguém*
2. — Está ali _____ a chamar-nos.
   — Onde? Não vejo _____.
3. — Bebeste o leite _____?
   — Já bebi _____. Não quero mais _____.

4. — Percebeste _____ coisa?
   — Não, não percebi _____.
5. — Fizeste os exercícios _____?
   — Fiz _____ sozinho.
6. — Tens _____ amigo no Canadá?
   — Não, não tenho lá _____ amigo.

41.2. Complete com os **indefinidos variáveis** e **invariáveis**.

1. Saiu sem dizer absolutamente _____.
2. Depois da festa estivemos a arrumar _____.
3. Ela vai à escola _____ os dias.
4. Fiquei o dia _____ em casa.
5. As crianças desarrumaram o quarto _____.
6. A Mary está a estudar em Portugal e já tem _____ amigas portuguesas.
7. _____ os anos trocam de carro.
8. Tenho _____ dinheiro. Por isso, não vou de férias.
9. _____ me roubou a carteira.
10. Perdi o dinheiro _____. Procurei em _____ a parte, mas não encontrei _____.
11. Não tenho _____ em casa. Tenho de ir às compras.
12. Esta caneta não escreve. Preciso de _____.
13. Este realizador é desconhecido. _____ o conhece.
14. Ela é famosíssima. _____ a gente a conhece.
15. _____ empregados não vieram. Da fábrica, por exemplo, não veio _____.

41.3. Complete com os **antónimos dos indefinidos** destacados, fazendo as alterações necessárias.

1. Está **alguém** à nossa espera?
   Não está ninguém à nossa espera?
2. Ele comeu **tudo**.
   Ele não comeu nada.
3. Encontrámos **muitas** pessoas conhecidas.
   Encontrámos poucas pessoas conhecidas.
4. Há **alguma** sala livre?
   _____?
5. Está **alguém** no escritório?
   _____?
6. Ela arrumou **tudo**.
   _____.
7. Deram-lhe **algumas** informações?
   _____?
8. Ele bebe **muito** leite.
   _____.

9. Há **algum** feriado este mês?
   _____?
10. As crianças desarrumaram **tudo**.
    _____.
11. Amanhã tenho **algum** tempo livre.
    _____.
12. **Muita** gente os conhece.
    _____.
13. Visitámos **alguns** locais de interesse.
    _____.
14. Hoje tive **muito** trabalho.
    _____.
15. **Alguém** telefonou enquanto estive fora?
    _____?
16. O Rafael acha que sabe **tudo**.
    _____.

relativos invariáveis

antecedente	
pessoas e / ou coisas	**que**
pessoas	**quem**
lugares	**onde**

◇ Os relativos fazem referência a pessoas, coisas ou lugares que os antecedem.
   □ o relativo **quem** está geralmente precedido de uma preposição.
   □ o relativo **onde** exprime uma circunstância de lugar.

que		

As pessoas eram muito simpáticas. Conhecemo-las na festa.   *2 frases*
As pessoas **que** conhecemos na festa eram muito simpáticas.   *1 frase*

Encontrei uma amiga. Não a via há muito tempo.   *2 frases*
Encontrei *uma amiga* **que** não via há muito tempo.   *1 frase*

O filme ganhou 4 óscares. Vamos vê-lo hoje.   *2 frases*
O filme **que** vamos ver hoje ganhou 4 óscares.   *1 frase*

Viste a mala? A mala estava em cima da cadeira.   *2 frases*
Viste *a mala* **que** estava em cima da cadeira?   *1 frase*

quem		

O professor vai na excursão. Estivemos a falar com ele.   *2 frases*
O professor **com quem** estivemos a falar vai na excursão.   *1 frase*

onde		

O restaurante era ótimo. Nós fomos lá.   *2 frases*
O restaurante **onde** fomos era ótimo.   *1 frase*

relativos variáveis

antecedentes	singular		plural	
	masculino	feminino	masculino	feminino
pessoas e / ou coisas	**o qual**	**a qual**	**os quais**	**as quais**
	cujo	**cuja**	**cujos**	**cujas**

◇ Os relativos **o/a qual**, **os/as quais** concordam em género e número com o antecedente e usam-se geralmente precedidos de preposição.

o qual		

O teste correu-me bem. Estudei muito para o teste.   *2 frases*
O teste **para o qual** estudei muito correu-me bem.   *1 frase*

Os amigos chegam amanhã. Falei-te deles.   *2 frases*
Os amigos **dos quais** te falei chegam amanhã.   *1 frase*

◇ Os relativos **cujo(s)**, **cuja(s)** indicam posse e concordam em género e número com o nome que precedem.

cujo		

Fomos a um restaurante. O dono do restaurante é um amigo nosso.   *2 frase*
Fomos a um restaurante **cujo** *dono* é um amigo nosso.   *1 frase*

O meu avô vive sozinho. A mulher dele morreu há um ano.   *2 frases*
O meu avô, **cuja** *mulher* morreu há um ano, vive sozinho.   *1 frase*

Unidade 42

42.1. Complete com **que** / **quem** / **onde**.

1. Gosto muito da casa _onde_ moro.
2. O João é um amigo _____ já me ajudou muito.
3. O rapaz de _____ te falei vem cá hoje.
4. Os livros _____ tu precisas estão todos na biblioteca.
5. O hotel _____ ficámos era ótimo.
6. Os sapatos _____ comprei não são confortáveis.
7. Ela não recebeu o email _____ eu lhe escrevi.
8. Já viste as fotografias _____ a Rosa tirou?
9. O professor com _____ tivemos aulas vai-se embora.
10. Lisboa é a cidade _____ o Tejo desagua.

42.2. Substitua o relativo invariável pela forma variável correspondente.

1. A camioneta **em que** viajámos tinha ar condicionado.
   A camioneta na qual viajámos tinha ar condicionado.
2. O vizinho **com quem** me dou muito bem vai mudar de casa.
3. A reunião **para que** fomos convocados foi adiada.
4. O campeonato **em que** eles participam começou ontem.
5. Os jogadores **de que** todos falam deixaram o clube.
6. O concerto **a que** assistimos acabou muito tarde.

42.3. Substitua a parte destacada pelo relativo **cujo(s)**, **cuja(s)**.

1. A rapariga **de olhos azuis** é a irmã da Ana.
   A rapariga, cujos olhos são azuis, é a irmã da Ana.
2. O quarto **com as paredes cor de rosa** é o mais bonito.
3. Os alunos **com os melhores resultados** ganharam uma bolsa de estudo.
4. Os futebolistas **com a camisola às riscas** são da equipa adversária.
5. O dicionário **de capa encarnada** é o de português.
6. O homem **de casaco preto** é o meu professor.

42.4. Ligue as duas frases com um **relativo**.

1. Os produtos são para exportação. Os produtos são feitos nesta fábrica.
   Os produtos que são feitos nesta fábrica são para exportação.
2. Lisboa é uma cidade em festa na noite de 12 para 13 junho. O seu padroeiro é o Santo António.
3. O empregado era muito simpático. Nós falámos com ele.
4. Passei no exame. Estudei muito para o exame.
5. Qual é o nome do hotel? Nós ficámos no hotel.
6. A senhora ainda está no estrangeiro. Aluguei a casa à senhora.
7. A história era mentira. Eles contaram a história.
8. Isso é uma afirmação. Eu não concordo com ela.
9. Viste o dinheiro? O dinheiro estava em cima da mesa.
10. O médico era muito competente. Ele atendeu-me.

complemento direto

eu	**me**
tu	**te**
você ele ela	**o, a**
nós	**nos**
vocês	**vos**
eles elas	**os, as**

— A Madalena vai à festa?
— Vai. Eu convidei-**a**.

Podes levar as revistas. Já **as** li.

— Não consigo levantar o caixote. Ajudas-**me**?
— Ajudo-**te** já. É só um minuto.

— Encontraste o Diogo?
— Não. Já não **o** encontrei.

— Onde é que tens os bilhetes? Perdeste-**os**?
— Não. Guardei-**os** na mala.

— Podes levar-**nos** a casa?
— Está bem. Eu levo-**vos**.

formas verbais terminadas em	3.ª pessoa
-r -s -z	-lo -la -los -las

Vou convida**r** os meus amigos.
Vou convidá-**los**.
Vou ve**r** esse filme.
Vou vê-**lo**.
Paga**s** a conta?
Paga-**la**?
Bebe**s** o leite todo.
Bebe-**lo** todo.
Ele fa**z** os exercícios em casa.
Ele fá-**los** em casa.
Tra**z** a tua irmã à festa. Trá-**la** à festa.

exceções

Ele que**r** os chocolates.
Ele quer**e-os**.

Tu te**ns a minha caneta**.
Tu te**m-la**.

formas verbais terminadas em	3.ª pessoa
-ão -õe -m	-no -na -nos -nas

Eles d**ão** o dinheiro ao empregado.
Eles dão-**no** ao empregado.
Ela p**õe** a mesa.
Ela põe-**na**.
Coma**m** os bolos.
Comam-**nos**.

43.1. Complete com as formas corretas dos **pronomes**.

1. Eu conheço a Ana e a Ana conhece- *me* .
2. Tu conheces a Ana e a Ana conhece-_____.
3. Ela conhece a Ana e a Ana conhece-_____.
4. Ele conhece a Ana e a Ana conhece-_____.
5. Nós conhecemos a Ana e a Ana conhece-_____.
6. Vocês conhecem a Ana e a Ana conhece-_____.
7. Eles conhecem a Ana e a Ana conhece-_____.
8. Elas conhecem a Ana e a Ana conhece-_____.

43.2. Substitua o **complemento direto** pelo **pronome correspondente** e faça as alterações necessárias.

1. Fomos buscar **os nossos amigos** à estação.
   Fomos buscá-los à estação. .
2. Tens visto **a Inês**?
   _____.
3. Não comam **o bolo** todo.
   _____.
4. Podes guardar **a revista**. Já li **a revista**.
   _____.
5. Puseram **os casacos** e saíram.
   _____.
6. Vês **o filme** connosco?
   _____.
7. Fechem **a porta** à chave.
   _____.
8. Ajuda-me a levantar **o caixote**.
   _____.
9. Façam bem **as camas**.
   _____.
10. Põe **os livros** na pasta.
    _____.

11. Também convidámos **os professores**.
    _____.
12. Levem **o Artur e a Glória** no carro.
    _____.
13. Encontraste **o meu irmão**?
    _____.
14. Deixei **a carteira e os documentos** na escola.
    _____.
15. Faz **os exercícios** em casa.
    _____.
16. Gostei de ouvir **o primeiro-ministro**.
    _____.
17. Aqueçam **o leite**.
    _____.
18. Tenho de ler **os relatórios**.
    _____.
19. Tem **as fotografias** consigo?
    _____.
20. Dão **a prenda** à Alexandra?
    _____.

43.3. Complete com a forma correta do **pronome**.

1. Ajudas- *me* a fazer o exercício? Sozinho não consigo.
2. Nós também vamos à festa. O Francisco convidou-_____.
3. Se não tens boleia, levo-_____ a casa.
4. Ele não falou com vocês?! Então é porque não _____ conhece.
5. Quando estive no hospital, eles foram lá ver-_____.
6. Já assinei o contrato. Assinei-_____ hoje de manhã.
7. Li o poema, mas achei-_____ difícil.
8. Queria umas bananas, mas não _____ quero muito maduras.
9. Vocês não me viram, mas eu vi-_____ à porta do cinema.
10. Não encontro os meus óculos. Não sei onde _____ pus.

pronomes pessoais complemento indireto; complemento indireto + complemento direto

complemento indireto	
eu	*me*
tu	*te*
você ele ela	*lhe*
nós	*nos*
vocês	*vos*
eles elas	*lhes*

Os meus amigos mandaram-*me* uma mensagem.

Eu enviei-*lhes* um email.

— Apetece-*te* alguma coisa?
— Apetece-*me* um gelado.

— O que é que *nos* perguntaste?
— Perguntei-*vos* se vocês estão em casa hoje à noite.

Ofereci-*lhe* um ramo de flores e ela gostou muito.

Posso fazer-*lhe* uma pergunta, Sr. Sousa?

O Gonçalo não foi à festa, porque não *lhe* disseram nada.

contrações
complemento indireto + complemento direto

me + o = mo	Dá-me esse livro. Dá-**mo**.
me + a = ma	Dá-me essa borracha. Dá-**ma**.
me + os = mos	Dá-me esses óculos. Dá-**mos**.
me + as = mas	Dá-me essas folhas. Dá-**mas**.

te + o = to	Já te emprestei o caderno. Emprestei-**to** ontem.
te + a = ta	Já te emprestei a caneta. Emprestei-**ta** ontem.
te + os = tos	Já te emprestei os livros. Emprestei-**tos** ontem.
te + as = tas	Já te emprestei as revistas. Emprestei-**tas** ontem.

lhe + o = lho	Mandei-lhe o dinheiro. Mandei-**lho** ontem.
lhe + a = lha	Mandei-lhe a encomenda. Mandei-**lha** ontem.
lhe + os = lhos	Mandei-lhe os catálogos. Mandei-**lhos** ontem.
lhe + as = lhas	Mandei-lhe as informações. Mandei-**lhas** ontem.

44.1. Complete com as formas corretas dos **pronomes**.

1. (**Eu** preciso do dicionário). Podes emprestar-*me* o dicionário?
2. (**Tu** precisas de 20 €). Vou emprestar-_____ 20 €.
3. (**Você** quer informações). Vou enviar-_____ informações.
4. (**O Rui** quer a bicicleta). Podes emprestar-_____ a bicicleta?
5. (**A Joana** precisa duma camisola). Vou comprar-_____ uma camisola.
6. (**Nós** recebemos a carta). Ela escreveu-_____ uma carta.
7. (**Vocês** querem ver a casa). Vou mostrar-_____ a casa.
8. (**Eles** querem conhecer a Filomena). Vou apresentar-_____ a Filomena.
9. (**A Graça e o Sérgio** precisam do carro). Vou emprestar-_____ o carro.
10. (**Elas** gostaram do bolo). Vou servir-_____ mais bolo.

44.2. Complete com as **formas contraídas** dos **pronomes**.

1. Esse livro é meu. Dá-*mo*.
2. Esses lápis são meus. Dá-_____.
3. Aqueles óculos são dele. Dá-_____.
4. Essas canetas são dela. Dá-_____.
5. Essas chaves são minhas. Dá-_____.
6. Aquela carteira é dela. Dá-_____.
7. Aquele caderno é dela. Dá-_____.
8. Essa mala é minha. Dá-_____.

44.3. Substitua o **complemento direto** e o **indireto** pelo pronome correspondente. Depois faça a contração.

1. O Pedro emprestou **as revistas à Olga**.
   O Pedro emprestou-as à Olga.
   O Pedro emprestou-lhe as revistas.
   O Pedro emprestou-lhas.

2. Vou mostrar **o quarto a ti**.

3. Ele ofereceu **os bilhetes a mim**.

4. Já dei **as informações ao Sr. Barbosa**.

5. Eles contaram **a história ao Dinis**.

6. Mandei a **encomenda à D. Maria**.

7. Demos **a prenda ao professor**.

8. Entregaste **os livros ao aluno**?

9. Já pagaste **a renda ao senhorio**?

10. Mostrámos **o apartamento à Isabel**.

11. Emprestei **o dicionário ao teu irmão**.

12. Só contei **a conversa a ti**.

preposições + pronomes pessoais

preposição + pronomes pessoais

	preposição *com* + pronome	outras preposições + pronome	
eu	*comigo*		*mim*
tu	*contigo*	de	*ti*
você	*consigo*	a	*si*
ele	**com ele**	sem	**ele**
ela	**com ela**	até	**ela**
nós	*connosco*	por	**nós**
vocês	**com vocês** / *convosco**	para	**vocês**
eles	**com eles**	…	**eles**
elas	**com elas**		**elas**

*A forma *convosco* (= com os senhores/as senhoras) é formal.

— Vais *comigo* à festa?
— Sim, vou *contigo*.

Espere <u>por</u> **mim**. Desço *consigo* no elevador.

— Meus senhores, posso contar *convosco* para a inauguração?
— Claro. Conte *connosco*.

— Trouxe este presente <u>para</u> **ti**.
— <u>Para</u> *mim*? Muito obrigado.

Estivemos a falar <u>de</u> **si** esta manhã, D. Fátima.

— Tem visto a Susana?
— Falei <u>**com**</u> **ela** na semana passada.

Eles moram perto <u>de</u> **nós**.

45.1. Complete com a forma correta do **pronome**.

Isto é para
_____. (eu)
_____. (tu)
_____. (você)
_____. (eu + tu)
_____. (tu + você)
_____. (ele + ela)

45.2. Complete com a forma correta do **pronome**, contraído ou não, com a preposição **com**.

O João quer falar
_____. (eu)
_____. (tu)
_____. (você)
_____. (Daniela)
_____. (eu + o Samuel)
_____. (ele + ela)

45.3. Complete com a forma correta do **pronome**, contraído ou não, com a preposição **com**.

1. — Também vens _____? (nós)
   — Vou, vou _____. (vocês)
2. — O chefe quer falar _____ (você), Sr. Lopes.
   — Vou já falar _____. (ele)
3. Hoje não vou sair _____. (eles) Podem contar _____ (eu) para o jantar.
4. Meus senhores, precisava de conversar _____. (os senhores)
5. Ninguém falou _____ (eu) sobre esse assunto.
6. — Quem é que vai _____ (vocês) no carro?
   — A Emília vai _____ (nós) e o Gabriel tem de ir _____. (tu)
7. Ontem à noite sonhei _____. (tu)
8. Ficámos _____ (ele) até à meia-noite.
9. — Posso contar _____ (você) para a inauguração?
   — Claro. Conte _____. (eu)
10. — Gostaria de encontrar-me _____ (o senhor e a senhora) para discutir a vossa proposta.

45.4. Complete com a forma correta do **pronome**.

1. — Esperem por _____. Estou quase pronto.
   — Só esperamos por _____ mais cinco minutos, Ricardo.
2. Não posso começar a reunião sem _____. Por isso, não te atrases.
3. Trouxe estas flores para _____, D. Margarida.
   — Para _____?! Muito obrigada.
4. Estiveram a falar sobre _____ e a minha situação na empresa.
5. Chegou esta encomenda para _____, Sr. Ribeiro.
6. Moras perto de _____. Agora somos vizinhos.
7. Ultimamente tenho pensado em _____ e no que me disseste.
8. Lembra-se de _____? Andámos juntos na escola.
9. Ele conheceu a Rita e apaixonou-se logo por _____.
10. Mentiste-me. Já não acredito em _____.

a (à(s), ao(s))

Ela está sentada **à** janela.
— A casa de banho é **à** direita ou **à** esquerda?
— É **ao** fundo do corredor **à** direita.
À sombra está-se bem, **ao** sol está muito calor.

em (na(s), no(s))

☐ **local**
Moro **em** Lisboa, na Av. do Brasil.
À noite fico sempre **em** casa.

☐ **em cima de**

Os livros estão **na** mesa.
Há muito pó **no** chão.

☐ **dentro de**

Pus o dinheiro **no** bolso.
Não fiquem muito tempo **na** água.
Ele está **no** quarto. Está deitado **na** cama.

em cima de (da(s), do(s))

Arrumei os sacos **em cima do** armário.
A tua mala está **em cima da** cadeira.

dentro de (da(s), do(s))

Os livros estão **dentro da** pasta.
Está muito calor **dentro do** autocarro.

debaixo de (da(s), do(s))

O gato está **debaixo da** mesa.
Debaixo das árvores está mais fresco.

ao lado de (da(s), do(s))

A livraria fica **ao lado da** escola.
A Camila senta-se sempre **ao lado do** David.

em frente de (da(s), do(s))

O supermercado fica **em frente do** restaurante.

à frente de (da(s), do(s))

O Pedro está **à frente do** Rui.

atrás de (da(s), do(s))

O Rui está **atrás do** Pedro.
O quadro está **atrás da** professora.

entre

O Bento está **entre** a Dulce e o Alberto.
Encontrei uma camisa lindíssima **entre** as roupas velhas da avó.

perto de / ao pé de (da(s), do(s))

A escola fica **perto de** casa.
O jarro de água está **ao pé dos** copos.

46.1. Complete com **a / à frente de / ao lado de / debaixo de / dentro de / em / em frente de / entre** (contraídas ou não com o artigo).

1. Ela está sentada _____ bebé.

2. O táxi vai _____ _____ autocarro.

3. O pássaro está _____ gaiola.

4. Ele está _____ carro.

5. Coimbra fica _____ Lisboa e o Porto.

6. Ela está a tomar banho _____ piscina.

7. Eles encontraram-se _____ porta do cinema.

8. A cadeira está _____ sofá.

46.2. Observe a gravura e complete as frases com **preposições** e **locuções** (contraídas ou não com o artigo).

1. O André e a Ilda estão _____ sala de estar.
2. A televisão está _____ sofá.
3. O André está sentado _____ sofá.
4. O gato está _____ mesa.
5. O cesto das revistas está _____ chão, _____ sofá.
6. O André tem os pés _____ cadeira.
7. Os quadros estão _____ parede.
8. A Ilda está de pé _____ janela.
9. O jornal está _____ mão do André.
10. Os livros estão _____ estante.
11. Os DVD estão _____ armário.
12. O sofá está _____ as cadeiras.
13. O candeeiro está _____ Ilda.
14. O bebé está sentado _____ mesa.
15. O cão está _____ avó.
16. A jarra está _____ mesa.

46.3. Observe a fotografia e complete as frases com **preposições** e **locuções** (contraídas ou não com o artigo).

1. O avô António está de pé _____ esquerda.
2. A D. Helena está de pé _____ o avô e o marido, o Afonso.
3. O Afonso está de pé _____ direita.
4. O Vasco está sentado _____ esquerda, _____ avô.
5. A Alda está sentada _____ o Vasco e o Jorge.
6. O Jorge está sentado _____ direita, _____ pai, o Afonso.
7. O avô António está _____ Vasco.
8. O Afonso está de pé _____ mulher, a D. Helena.
9. A D. Helena está de pé _____ Alda.
10. O Vasco está sentado _____ irmã, a Alda.

preposições de movimento

a		
contrações		
a + a = à		a + as = às
a + o = ao		a + os = aos

☐ **ir** / **vir** / **voltar**… (curta permanência)

Ontem **fui ao** cinema.
É meio-dia. Eles **vão a** casa almoçar.
Ele **vai à** escola todos os dias.
Vou aos Correios comprar selos.

☐ **a pé** / **à boleia**

Gosto muito de andar **a pé**.
Foram **à boleia** para a praia.

para

☐ **ir** / **vir** / **voltar**… (longa permanência)

Eles **vão** viver **para** o Canadá.
Ela **vai** estudar **para** Inglaterra, mas
volta para Portugal dois anos depois.
São seis da tarde. **Vou para** casa.

☐ **direção** / **destino** ——————●

Esta camioneta **vai para** Lisboa.
O comboio **para** Braga parte às 20h00.
Vou para a escola.

por		
contrações		
por + a = pela		por + as = pelas
por + o = pelo		por + os = pelos

☐ **através de** ●——————▶

Eles foram **pela** ponte.
O senhor vai **por** esta rua, **pelo** passeio do
lado direito.
Andámos a passear **pelo** parque.
Mandei a carta **por** avião.

☐ **perto de**

Esse autocarro passa **pelo** hospital.
A estrada nova passa **por** minha casa.

de		
contrações		
de + a = da		de + as = das
de + o = do		de + os = dos

☐ **origem ou proveniência** (**sair** / **vir** / **voltar**)

Saí de casa às 8h00.
Voltaram da festa cansadíssimos.
O meu marido **vem** hoje **do** Porto.

☐ **meios de transporte**

Para a Baixa vou **de** metro.
De táxi é mais rápido.
Eles vão **de** autocarro para o trabalho.
Gosto muito de viajar **de** avião.

em + artigo		
contrações		
em + a = na		em + as = nas
em + o = no		em + os = nos

☐ **meios de transporte** (determinado)

O Sr. Fonseca vai **no** comboio das 7h30.
Prefiro voltar **no** avião da TAP.
Querem ir **no** meu carro?
Posso andar **na** tua bicicleta?

Unidade 47

47.1. Complete com **a** (contraído ou não com o artigo) ou **para**.

1. Vou _____ casa buscar o casaco e volto já.
2. Quem é que vai _____ supermercado?
3. Eles vão viver _____ o Algarve.
4. Já não há pão. É preciso ir _____ padaria.
5. Depois das aulas vou _____ casa.
6. Vamos _____ cinema?
7. O John volta _____ Inglaterra no próximo mês.
8. Prefiro ir _____ pé _____ a praia.
9. A minha mãe foi _____ Porto visitar uns amigos.
10. O Afonso vai trabalhar _____ os Estados Unidos.

47.2. Complete com **para** ou **por** (contraído ou não com o artigo).

1. A camioneta _____ Faro vai _____ autoestrada.
2. Eles vieram _____ ponte, porque é mais rápido.
3. Esse autocarro passa _____ minha escola.
4. Andaram _____ museu a ver tudo.
5. Ela vai estudar _____ França e volta _____ Portugal dois anos depois.
6. — Como é que se vai _____ o Instituto Português?
   — Vai _____ esta rua, _____ passeio do lado esquerdo e vê logo o Instituto.
7. Quando vou _____ casa, vou sempre _____ Avenida da República.
8. Os carros passam _____ túnel.
9. Eles já foram _____ o aeroporto, mas antes passavam _____ hotel.
10. Todos os anos vamos de férias _____ o Algarve.

47.3. Complete com **de** (contraído ou não com o artigo) ou **em** (contraído com o artigo).

1. Fomos _____ avião e voltámos _____ comboio.
2. Queres andar _____ minha mota nova?
3. Os turistas gostam de passear _____ elétrico.
4. Nós vamos _____ carro do Bruno e vocês vão _____ táxi.
5. Ontem saí _____ escritório muito tarde.
6. Eles chegam hoje _____ Brasil. Vêm _____ avião das 7h00.
7. Daqui para a Estrela tem de ir _____ autocarro n.° 727.
8. Voltámos _____ Porto _____ comboio das 10h00.
9. Estás muito bronzeada. Vens _____ praia?
10. Saiu _____ autocarro e apanhou um táxi.

47.4. Faça frases, conjugando os verbos e usando as preposições contraídas ou não com o artigo.

1. (eu / ir / carro / emprego)
   Eu vou de carro para o emprego.
2. (o Rúben / ir / escola / pé)

3. (nós / ir / carro dele)

4. (eles / voltar / Madrid / comboio das 20h30)

5. (eu / sair / casa / 8h00)

6. (eles / ir / praia / camioneta)

☐ **a**

☐ **datas** (com dia do mês)	O Natal é **a** 25 de dezembro.
☐ **dias da semana** (ação habitual)	**Ao(s)** sábado(s) jantam sempre fora.
☐ **horas**	As aulas começam **às** 9h00.
	Almoçamos **ao** meio-dia (12h00).
	A festa acabou **à** meia-noite (24h00).
☐ **partes do dia**	Telefona-me **à** noite.
	À tarde nunca estou em casa.

☐ **de**

☐ **datas**	Ele nasceu no dia 20 **de** fevereiro **de** 1980.
	Faço anos a 15 **de** janeiro.
☐ **de ... a**	O ano letivo é **de** setembro a junho.
	Têm aulas **das** oito **ao** meio-dia.
☐ **partes do dia**	**De** manhã estão na escola.
	São dez **da** manhã.
	Almoçamos à uma **da** tarde e jantamos às oito **da** noite.

☐ **em**

☐ **datas** (com "dia")	Vou de férias **no dia** 1 de agosto.
☐ **dias da semana** (ação pontual)	**No** sábado vamos a uma festa de anos.
☐ **épocas festivas**	**No** Natal e **na** Páscoa vêm sempre a Portugal.
☐ **estações do ano**	**No** inverno chove muito.
☐ **meses**	Os exames são **em** julho.
☐ **anos**	Vasco da Gama chegou à Índia **em** 1498.
☐ **séculos**	A Madeira foi descoberta **no** século XV.

☐ **para**

☐ **localização temporal**	Preciso das cartas prontas **para** as 18h00.
	Para o ano que vem vou aos Estados Unidos.
	Eles chegam **para** a semana.
☐ **horas**	São dez **para** as cinco (16h50).

☐ **por**

☐ **tempo aproximado**	O concerto deve acabar **pelas** dez da noite.
	Eles vêm a Portugal **pelo** Natal.
☐ **período de tempo**	Podes ficar com o livro **por** uma semana.
	Empresto-lhe o dinheiro **por** uns dias.

48.1. Preencha com **a**, **de** ou **em** (contraídos ou não com o artigo).

1. ___ 10 ___ agosto.
2. ___ nove ___ noite (21h00).
3. ___ próxima semana.
4. ___ fim de semana passado.
5. ___ véspera de Natal.
6. ___ férias ___ verão.
7. ___ tarde.

8. ___ meio-dia (12h00).
9. ___ julho ___ 1990.
10. ___ fim ___ ano.
11. ___ uma hora ___ tarde (13h00).
12. ___ dia 5 ___ março.
13. ___ primavera.
14. ___ maio.

15. ___ manhã.
16. ___ cinco ___ tarde (17h00).
17. ___ meia-noite (24h00).
18. ___ Páscoa.
19. ___ 1994.
20. ___ oito ___ manhã (8h00).
21. ___ quatro e meia (16h30).

48.2. Complete com **para** ou **por** (contraído ou não com o artigo).

1. Alugámos a casa _____ dois meses.
2. A chegada do avião está prevista _____ as 14h35.
3. As férias começam _____ a semana.
4. A reunião foi adiada _____ sábado.
5. Pode ficar em minha casa _____ uns dias.
6. São cinco _____ as seis (17h55).
7. Eles disseram que voltavam _____ sete da tarde (19h00).
8. O carro está na garagem. Vou ficar sem ele _____ umas semanas.
9. _____ o ano acabo o curso na universidade.
10. Foi eleito presidente do clube _____ 2 anos.

48.3. Complete com **a** ou **em** (contraídos com o artigo).

1. _____ domingo almoçamos sempre fora.
2. _____ domingo passado almoçámos em casa.
3. _____ sexta-feira _____ noite costumamos ir ao cinema.
4. _____ próxima sexta-feira temos uma festa de anos.
5. Temos aula de História _____ segundas-feiras, mas _____ segunda que vem não temos, porque vamos visitar um museu.
6. Têm jogo de futebol _____ sábados.
7. _____ próximo sábado é feriado. Por isso, não há jogo.

48.4. Complete com **a**, **de** ou **em** (contraídos ou não com o artigo).

1. O concerto começou _____ dez _____ noite (22h00) e acabou _____ meia-noite (24h00).
2. Ela trabalha muito durante a semana. Por isso, _____ fins de semana gosta de descansar.
3. O "25 de abril" foi _____ 1974.
4. Almoçamos _____ uma hora (13h00) e jantamos _____ oito (20h00).
5. Costumo fazer as compras _____ sábados _____ manhã.
6. O curso começa _____ 5 _____ janeiro e termina _____ dia 30 _____ março.
7. _____ dia _____ Natal a família reúne-se em casa da avó.
8. A maioria das pessoas faz férias _____ verão, mais precisamente _____ agosto.
9. Tenho aulas todos os dias: _____ segunda _____ sexta.
10. O caminho marítimo para a Índia foi descoberto pelos portugueses _____ século XV.

verbo + a

abraçar-se	Quando viu o irmão, **abraçou-se a** ele.
agarrar-se	**Agarra-te ao** corrimão para descer as escadas.
chegar	Costumamos **chegar a** casa às sete e meia.
encostar-se	**Encostei-me à** parede para não cair.
habituar-se	**Habituei-me a** beber café sem açúcar.
jogar	Eles estão a **jogar às** cartas.
responder	Por favor, **responda a** esse email.
regressar	Fez ERASMUS em Lisboa, mas já **regressou a** Barcelona.

verbo + com

concordar	**Concordo** inteiramente **com** a tua opinião.
contar	**Conto com** a tua ajuda, para resolver o exercício.
falar	Vou **falar com** ele amanhã.
ir	Eu **vou com** os meus amigos.
preocupar-se	**Preocupas-te** demasiado **com** os outros.
simpatizar	**Simpatizei** bastante **com** o teu novo amigo.
sonhar	Esta noite **sonhei com** as férias grandes.

verbo + de

cuidar / tratar	A avó **cuida dos** netos; é ela quem **trata deles**.
depender	Deixar de fumar, só **depende de** si.
desistir	Eu nunca **desisto de** nada.
esquecer-se	Ele **esqueceu-se de** avisar que vinha mais tarde.
falar	Estavam a **falar do** João, quando ele chegou.
gostar	Todas as crianças **gostam de** doces.
lembrar-se	Ela **lembra-se** sempre **do** meu aniversário.
morrer	Muitas pessoas ainda **morrem de** fome no mundo.
necessitar / precisar	**Necessito / preciso de** comprar um dicionário.
queixar-se	Todos **se queixam do** Rui; é muito insubordinado!
rir-se	Não te **rias de** mim, que eu não gosto!
sair	Ele **sai de** casa antes das 8h00.
suspeitar	A polícia **suspeita do** mordomo.

verbo + em

acreditar	Ainda **acreditas no** Pai Natal?
concentrar-se	Tens de **te concentrar** mais **nos** estudos.
confiar	Eu não **confio nele**; já me enganou por diversas vezes.
entrar	**Entrou na** sala sem me pedir licença.
dividir	**Dividam** o bolo **em** partes iguais.
insistir	Ele **insiste em** não fazer o que lhe digo.
pensar	**Em** que é que estás a **pensar**?
viver / morar / residir	Eu **vivo em** Lisboa; **moro / resido no** Bairro Alto.

verbo + por

distribuir	O professor **distribuiu** os testes **pelos** alunos.
esforçar-se	Ele **esforça-se** imenso **por** lhe agradar.
esperar	Estou farto de **esperar por** ele. Vou-me embora!
interessar-se	Ela só **se interessa por** ela própria.
lutar	Tens de **lutar pelos** teus ideais.
optar	Ela **optou por** não ter filhos.
perguntar	Alguém **perguntou por** mim?

49.1. Complete com a **preposição correta + artigo / pronome** quando necessário.

1. O Rui gosta muito _____ jogar _____ bola.
2. O meu avô morreu _____ velhice. Tinha 99 anos.
3. Nós moramos _____ Algarve.
4. Preciso _____ falar _____ ele com urgência.
5. Espera _____ mim; estou quase pronta.
6. A que horas é que sais _____ escola?
7. Podem contar _____ a nossa presença para a festa.
8. Avó, agarre-se _____ mim para se levantar do sofá.
9. Distribuíram flores _____ senhoras.
10. Não te rias _____ , é um pobre coitado!
11. Nunca desistas _____ teus objetivos!
12. Admiro as pessoas que lutam _____ aquilo _____ que acreditam.
13. Tens toda a razão. Concordo _____ .
14. Leiam o texto e dividam-no _____ partes.
15. Esqueci-me _____ chapéu de chuva.
16. Já não confio _____ ninguém!
17. Preocupo-me _____ , porque sou teu amigo.
18. Já tinha pensado _____ te telefonar.
19. Descalça os sapatos antes de entrares _____ casa.
20. Responda _____ pergunta, por favor!

49.2. Complete com os **verbos na forma correta + preposição e artigo / pronome** quando necessário.

1. Conheci ontem o novo professor, mas não _____ (simpatizar) nada _____ ele.
2. Nos anos 90, eles _____ (viver) _____ Macau, mas em 2000 _____
   (regressar) _____ Portugal.
3. Ele sempre _____ (interessar-se) _____ teatro.
4. Ela estava tão cansada que _____ (encostar-se) _____ ombro dele e adormeceu.
5. A Joana já _____ (chegar) _____ escritório, quando soube do acidente.
6. Estás atrasado! O diretor já _____ (perguntar) _____ ti.
7. A entrada na faculdade _____ (depender) _____ nota de exame.
8. Ele _____ (esforçar-se) _____ ser um bom aluno.
9. A Rita _____ (optar) _____ ir estudar para os E.U.A.
10. Ele está sempre a _____ (queixar-se) _____ falta de dinheiro.

49.3. Faça frases com o **verbo na forma correta + preposição e artigo / pronome** quando necessário.

1. Esta noite / sonhar / fantasmas
_____

2. Nós / esperar / ti / lá em baixo
_____

3. Gostar / ir / vocês / mas / não posso
_____

4. As mães / preocupar-se / sempre / filhos
_____

5. Ultimamente / (eu) / pensar / muito / ti

6. O inspetor / suspeitar / marido da vítima
_____

7. Ele / não / habituar-se / vida na cidade
_____

8. Ainda / lembrar-se / meu irmão / ?
_____

9. O Diogo / insistir / pagar o jantar
_____

10. Concentrar-se / teu trabalho / !

adjetivo + a

acessível	Atualmente a Internet é **acessível a** quase toda a gente.
acostumado	Ela está **acostumada ao** calor do Brasil.
apto	Ele está **apto a** voltar ao trabalho.
atento	Estejam **atentos às** notícias.
autorizado	Não estou **autorizada a** usar o cartão.
fiel	O cão é sempre **fiel ao** dono.
habituado	Ele está **habituado a** deitar-se tarde.
idêntico	O teste vai ser **idêntico ao** do período passado.
leal	O Mário é um bom rapaz, **leal aos** amigos.
prejudicial	O sal é **prejudicial à** saúde.
semelhante	O dia de hoje é **semelhante ao** de ontem: sempre a chover!
sensível	Ele é muito **sensível à** dor.

adjetivo + com

admirado	Todos ficaram **admirados com** a reação dela.
chocado	Ficámos **chocados com** a notícia da morte do diretor.
contente	Ficou **contente com** o presente que os colegas lhe deram.
cuidadoso	O avô Manuel é muito **cuidadoso com** o neto mais novo.
desiludido	O professor ficou **desiludido com** o fraco resultado dos testes.
feliz	Ele ficou **feliz com** o nascimento do filho.
generoso	Eles sempre foram muito **generosos com** os empregados.
impressionado	Todos ficaram **impressionados com** a violência do acidente.
preocupado	As mães estão sempre **preocupadas com** os filhos.
relacionado	O tema da atividade de hoje está **relacionado com** a poluição.
satisfeito	Estás **satisfeito com** as novas instalações?
surpreendido	Ficámos **surpreendidos com** o final do filme.
zangado	Porque é que não me falas? Estás **zangado comigo**?

adjetivo + de

cansado	Para! Estou **cansada de** andar de um lado para o outro.
capaz	Quem é que é **capaz de** resolver este problema?
cheio	Não tomou o pequeno-almoço e agora está **cheio de** fome.
desejoso	Os miúdos estão **desejosos de** abrir as prendas.
dependente	A Joana fez quinze anos, mas ainda é muito **dependente da** mãe.
diferente	O António é alto e magro, muito **diferente do** irmão.
difícil	O caminho para o castelo não é **difícil de** encontrar.
fácil	O problema é **fácil de** resolver.
farto	Estava **farto de** receber ordens e, por isso, despediu-se.
orgulhoso	Ficou **orgulhoso do** comportamento do filho.
típico	As castanhas assadas são **típicas do** S. Martinho.

50.1. Complete com a **preposição correta + artigo / pronome** quando necessário.

1. Ela estava tão triste que eu não fui capaz _____ contar a verdade.
2. Tomar café depois das refeições é típico _____ portugueses.
3. A professora sente-se orgulhosa _____ alunos.
4. O professor ficou admirado _____ a resposta do Paulo.
5. Fizeram obras e agora o quintal está cheio _____ lixo.
6. Quando regressou ao seu país, ficou desiludido _____ o nível de vida das pessoas.
7. Trabalhar em casa é diferente _____ estar num escritório oito horas por dia.
8. A nova empregada é mais cuidadosa _____ as roupas.
9. A decisão está dependente _____ resultado _____ exame.
10. Ficámos muito satisfeitos _____ o serviço da agência.
11. Tens tossido muito. Estou preocupado _____ .
12. Estão felizes _____ a nova vida de casados.
13. Nunca dizes a verdade. Estou farto _____ mentiras!
14. O primeiro-ministro afirmou que estava chocado _____ os acontecimentos.
15. Os animais não estão autorizados _____ entrar.
16. A Beatriz e a Patrícia desarrumaram o meu quarto. Fiquei zangada _____ elas.
17. O treinador ficou impressionado _____ a rapidez dos jogadores.
18. Estou desejosa _____ chegar a casa.
19. O médico considerou-o apto _____ participar nos treinos.
20. Ela não está habituada _____ beber e sentiu-se mal.

50.2. Complete com os seguintes **adjetivos na forma correta + preposição e artigo** quando necessário.

cansado	contente	impressionado	dependente	relacionado
difícil	cheio	chocado	desiludido	acostumado

1. Estou _____ estudar. Vou fazer um intervalo.
2. Visitou a zona mais pobre e ficou _____ tanta miséria.
3. Os miúdos brincaram toda a tarde e agora estão _____ sono.
4. Ela é muito nova e não está _____ andar de metro sozinha.
5. O Marcos ainda não trabalha. Está totalmente _____ pais.
6. Ficámos _____ o português dela. É excelente!
7. O professor Tomé estuda questões _____ a violência.
8. Os adeptos ficaram _____ a saída do treinador. Não estavam à espera.
9. Essa história é muito estranha. É _____ acreditar.
10. O médico ficou muito _____ o prémio. Vai poder ajudar muita gente.

50.3. Complete a segunda frase com o mesmo sentido da anterior. Use os **adjetivos na forma correta + preposição e artigo** quando necessário.

1. A organização do festival depende da Câmara Municipal.
   A organização do festival está *dependente da Câmara Municipal.*
2. Ela habituou-se a pôr pouco sal na comida.
   Ela está _____ .
3. Os pais preocupam-se sempre com os filhos.
   Os pais estão sempre _____ .
4. Havia muitos turistas no museu.
   O museu estava _____ .
5. A minha situação não é idêntica à tua.
   A minha situação é _____ .
6. Encontrámos a solução, mas não foi fácil!
   A solução foi _____ .

O Paulo é **tão** alto **como** o João.
O Pedro é **mais** alto (**do**) **que** os amigos.
O Paulo e o João são **menos** altos (**do**) **que** o Pedro.

comparativo			
normal	superioridade	igualdade	inferioridade*
alto	**mais** alto (**do**) **que**	**tão** alto **como**	**menos** alto (**do**) **que**
longe	**mais** longe (**do**) **que**	**tão** longe **como**	**menos** longe (**do**) **que**
bom / bem	**melhor** (**do**) **que**	**tão** bom **como** **tão** bem **como**	**menos** bom (**do**) **que** **menos** bem (**do**) **que**
grande	**maior** (**do**) **que**	**tão** grande **como**	**menos** grande (**do**) **que**
mau / mal	**pior** (**do**) **que**	**tão** mau **como** **tão** mal **como**	**menos** mau (**do**) **que** **menos** mal (**do**) **que**

* É pouco usado.

— Sentes-te **bem**?
— Hoje sinto-me **melhor**.

Ontem o tempo estava **mau**. Hoje ainda está **pior**.

Levanto-me sempre **cedo**, mas anteontem ainda me levantei **mais cedo do que** habitualmente.

Eles têm muitos filhos. Vão comprar um carro **maior**.

O inverno em Portugal é **menos frio que** na Alemanha.

A minha mala está **mais pesada do que** a tua.

Estes sapatos são **mais caros do que** aqueles.

Neste prédio os andares do lado direito são **maiores que** os do lado esquerdo.

O concurso foi **tão bom como** o da semana passada.

O concerto não foi **tão bom como** diziam.

A vida no campo não é **tão agitada como** na cidade.

Ele está **tão alto como** o pai.

51.1. Complete as frases com os **adjetivos** / **advérbios** na forma correta.

1. Se eu tenho 20 anos e tu tens 21, então tu és *mais velho (do) que eu*. (velho)
2. Se a igreja foi construída em 1570 e o museu em 1870, então a igreja é _____. (antigo)
3. Se as minhas calças custaram 49,50 € e as tuas 74,90 €, então as tuas foram _____. (caro)
4. Se hoje estão 7 graus e ontem estiveram 10, então hoje está _____. (frio)
5. Se o Ivo nasceu em 1965 e o irmão nasceu em 1960, então o Ivo é _____. (novo)
6. Se este jardim tem 100 m² e aquele tem 150 m², então aquele é _____. (grande)
7. Se de metro demoro 10 minutos até à escola e de autocarro demoro 30 minutos, então o metro é _____. (rápido)
8. Se aqueles sapatos custam 59,95 € e estes custam 44,49 €, então estes sapatos são _____. (barato)
9. Se a Amélia tem 1,65 m e a Rita tem 1,70 m, então a Amélia é _____. (baixo)
10. Se eu me levanto às 7h00 e tu te levantas às 8h00, então eu levanto-me _____. (cedo)

51.2. Complete as frases com os **adjetivos** / **advérbios** contrários na forma correta.

1. Este restaurante é muito caro. Vamos a outro *mais barato.*
2. Estes sapatos estão muito pequenos. Não tem outros _____?
3. Este texto é muito difícil. Não há outro _____?
4. Ontem senti-me mal. Hoje já estou _____.
5. O supermercado fica muito longe. Não há uma mercearia _____?
6. O exame de matemática não me correu bem. O exame de física ainda foi _____.
7. Esta régua é muito curta. Preciso de uma _____.
8. Esta caixa é muito pesada para ti. Leva aquela que é _____.
9. No ano passado a Ana estava muito gorda. Agora está _____.
10. Ele é muito baixo para jogar basquetebol. Precisamos de um jogador _____.

51.3. Complete as frases com os **adjetivos** / **advérbios** na forma correta.

1. O teu irmão não é muito alto. Tu és *mais alto.*
2. A casa deles não é muito grande. Eles querem comprar uma casa _____.
3. Este vinho não sabe muito bem. Aquele é _____.
4. Ao fim de semana não se levantam muito cedo. Durante a semana levantam-se _____.
5. O inglês dele é mau. O da Juliana é _____.
6. Este empregado não é muito simpático. Aquele é _____.

51.4. Complete as frases com **tão ... como**.

1. A igreja é mais antiga do que o museu. *O museu não é tão antigo como a igreja.*
2. Espanha é maior do que Portugal. Portugal _____.
3. Ele joga melhor do que o Joaquim. O Joaquim _____.
4. O leite está mais quente do que o café. O café _____.
5. Ele come mais depressa do que a irmã. A irmã _____.
6. A Natacha é mais alta do que o Rui. O Rui _____.

Eles são todos muito altos.
De facto, eles são altíssimos.
Mas o Nuno é o mais alto de todos.

superlativo relativo		
normal	superioridade	inferioridade*
baixo	**o mais** baixo	**o menos** baixo
cedo	**o mais** cedo	**o menos** cedo
bom	**o melhor**	**o menos** bom
grande	**o maior**	**o menos** grande
mau	**o pior**	**o menos** mau

*É muito pouco usado.

superlativo absoluto		
normal	sintético	analítico
baixø	**baixíssimo**	**muito** baixo
cedø	**cedíssimo**	**muito** cedo
fácil	**facílimo**	**muito** fácil
difícil	**dificílimo**	**muito** difícil
bom/bem	**ótimo**	**muito** bom/bem
mau/mal	**péssimo**	**muito** mau/mal

Lisboa é **a maior** cidade de Portugal.

O filme foi **péssimo**. Foi mesmo **o pior** filme que eu vi.

Ele joga bem futebol, mas não é **o melhor** jogador da equipa.

Chegaste **tardíssimo**. O filme já começou.

Dentro da cidade, o metro é **o** meio de transporte **mais rápido**.

A Luísa e a Diana são **as melhores** alunas da turma.

O Nuno, o Pedro e o Luís são todos **muito altos**. **O mais alto** é o Nuno que tem 1,90 m e **o menos alto** é o Luís que tem 1,87 m.

52.1. Complete as frases com os **adjetivos** / **advérbios** na forma correta.

1. Eu estou muito cheio. De facto, estou *cheiíssimo.*
2. Ainda é muito cedo. De facto, é _____.
3. Ele está muito gordo. De facto, está _____.
4. Esta bebida é muito forte. De facto, é _____.
5. Eles estão muito atrasados. De facto, estão _____.
6. A sua mala está muito pesada. De facto, está _____.
7. Este bife está muito duro. De facto, está _____.
8. A sopa está muito quente. De facto, está _____.
9. O exame foi muito difícil. De facto, foi _____.
10. O bolo de chocolate está muito bom. De facto, está _____.
11. O acidente foi muito grave. De facto, foi _____.
12. Estes sapatos foram muito caros. De facto, foram _____.

52.2. Complete com os **adjetivos** na forma correta.

1. O Manuel é mais velho do que o Carlos e a Marta. *É o mais velho dos irmãos.*
2. Este ano as férias foram melhores do que no ano passado. Foram _____ de sempre.
3. Esta igreja é muito antiga. É _____ do país.
4. Esta sala é muito grande. É _____ de todas.
5. O jogo de domingo foi péssimo. Foi _____ de todos.
6. Ela é muito bonita. É _____ das irmãs.
7. Ele é mais alto do que os colegas. É _____ da turma.
8. Estas uvas são muito doces. São _____ de todas.
9. Este romance é muito interessante. É _____ deste escritor.
10. Ele é um cantor muito popular. É _____ de todos.

52.3. Complete as frases.

1. Este é *o restaurante mais caro* de Lisboa. (restaurante / caro)
2. Esse foi *o melhor filme* do ano. (bom / filme)
3. Ele é _____ do país. (homem / rico)
4. Hoje foi _____ da minha vida. (dia / feliz)
5. Ela é _____ que eu conheci. (rapariga / bonito)
6. O Tejo é _____ de Portugal. (grande / rio)
7. A Carla e o António são _____ da turma. (bom / alunos)
8. Ele é _____ da atualidade. (político / popular)
9. Este foi _____ que eu ouvi. (mau / discurso)
10. Ela foi _____ dos anos 50. (atriz / famoso)

109

tão e tanto

tão

tão + adjetivo (invariável)	Ela é **tão bonita**! Que rapariga **tão bonita**!
tão + advérbio (invariável)	Falas **tão depressa**! Não compreendo nada. A praia é **tão longe**! É melhor irmos de carro.
tão + adjetivo / advérbio **+ que...** (invariável)	Falas **tão** <u>depressa</u> **que** eu não compreendo. Ele estava **tão** <u>cansado</u> **que** foi logo dormir.

tanto

verbo + tanto (invariável)	Ele **come tanto**! Por isso está tão gordo.
tanto(s) **tanta(s)** **+ nome** (variável)	Gastei **tanto dinheiro** nas compras! Não comas **tantos chocolates**! **Tanta gente** na rua! Nunca vi **tantas pessoas** num concerto!
verbo + tanto que... (invariável)	Ele <u>estudou</u> **tanto que** ficou com dores de cabeça. Tive **tanto** <u>trabalho</u> **que** não pude sair com vocês.
tanto(s) **tanta(s)** **+ nome + que...** (variável)	Ele tinha **tantas** <u>dores</u> de cabeça **que** foi tomar um comprimido.

53.1. Complete as frases exclamativas com **tão** ou **tanto**.

1. Está _____ calor!
2. O bebé tem uns olhos _____ azuis!
3. Que festa _____ animada!
4. _____ carros!
5. Não bebas _____ cerveja!
6. Que vestido _____ bonito!

7. A sopa está _____ quente!
8. Há _____ pessoas na paragem.
9. Não fales _____ depressa!
10. Ele ganha _____ dinheiro!
11. A casa dele fica _____ longe!
12. Não comas _____ !

53.2. Faça frases exclamativas com **tão**.

1. Estas flores são muito bonitas.
   Que flores tão bonitas!
2. Aquele cão é muito mau.
   Que cão _____ !
3. O empregado foi muito antipático.
   Que_____ !
4. O bolo estava muito bom.
   _____ !

5. O jantar foi muito caro.
   _____ !
6. A festa foi muito divertida.
   _____ !
7. Os teus amigos foram muito simpáticos.
   _____ !
8. Este sofá é muito confortável.
   _____ !

53.3. Complete com **tão** / **tanto(s)** / **tanta(s)**.

1. Estou _____ atrasada. Vou apanhar um táxi.
2. Ultimamente tem havido _____ trabalho no escritório.
3. Ele sente-se _____ cansado.
4. A mãe dela está _____ doente e tudo lhe faz _____ confusão.
5. Tive _____ sorte em encontrar os documentos.
6. Não precisas de trabalhar _____ horas.

53.4. Ligue as frases com **tão … que** ou **tanto … que**.

1. Hoje andei muito. Doem-me os pés.
   Hoje andei tanto que me doem os pés.
2. Estou com muitas dores. Vou tomar um comprimido.
   _____
3. O professor fala muito depressa. Não compreendo nada.
   _____
4. O dia ontem esteve muito quente. Fomos até à praia.
   _____
5. A Dora estudou muito. Ficou com dores de cabeça.
   _____
6. Fizeste muito barulho. Acordaste o bebé.
   _____
7. Ele comeu muito. Não consegue levantar-se.
   _____
8. Ela sentiu-se muito mal. O marido chamou o médico.
   _____

desde e há

desde e há
expressões de tempo em relação ao presente

desde

◇ Usamos **desde** para indicar o **começo** de um **período de tempo**.
Hoje é sexta-feira. Não vejo o Ronaldo e a Lígia **desde segunda-feira**.

segunda-feira	sexta-feira
(começo do período de tempo)	

desde segunda-feira

passado   agora

desde	segunda ontem as 10 horas o dia 20 de julho março 2009

há

◇ Usamos **há** para indicar o **período de tempo**.
Hoje é sexta-feira. Não vejo o Ronaldo e a Lígia **há cinco dias**.

há cinco dias

passado   2.ª   3.ª   4.ª   5.ª   6.ª   agora

há	um dia cinco dias uma hora uma semana dois meses três anos

Compare:

Ele está de férias **desde a semana passada**.
Ele está de férias **há uma semana**.
Ando a tirar o curso **desde janeiro**.
Ando a tirar o curso **há seis meses**.
Conheço-a **desde 1990**.
Conheço-a **há muito tempo**.

há
expressões de tempo em relação ao passado

◇ Usamos **há** para indicar um **momento no passado** (nestes casos, o verbo está sempre no passado).

Estive com o Hugo **há dois dias**.

há dois dias		
anteontem	ontem	hoje

Ela saiu de casa **há meia hora**.

— Quando é que chegaste?
— **Há** 10 minutos.

há	dez minutos uma hora dois dias três meses um ano

54.1. Complete com **desde** ou **há**.

1. Ele saiu _____ cinco minutos.
2. Ando a ler o livro _____ duas semanas.
3. Ela estuda inglês _____ os quatro anos.
4. Estou à espera do autocarro _____ meia hora.
5. A casa está alugada _____ janeiro.

6. Estivemos em Paris _____ três anos.
7. Não vou ao teatro _____ muito tempo.
8. Comprei o carro _____ dois meses.
9. O Fábio está doente _____ quarta-feira.
10. Não ando de bicicleta _____ criança.

54.2. Complete as frases com **desde** e **há**.

1. São dez da manhã. Acordei às 8h00.
   Estou acordada *desde as 8h00.*
   Estou acordada *há duas horas.*
2. Estamos em agosto. Eles foram viver para o Porto em janeiro.
   Eles vivem _____.
   Eles vivem _____.
3. Hoje é sexta-feira. Falei com ele na segunda-feira.
   Não o vejo _____.
   Não o vejo _____.
4. É meio-dia. Tomei o pequeno-almoço às 7h00.
   Já não como _____.
   Já não como _____.
5. Hoje é dia 15. Mudaram para a casa nova no dia 1.
   Estão na casa nova _____.
   Estão na casa nova _____.

54.3. Complete com **desde** e **há**.

1. Eles estão casados _____ 1970. Estão casados _____ mais de vinte anos.
2. Ontem encontrei o Luís. Já não o via _____ imenso tempo, _____ os tempos da escola.
3. São 14h00. Estou a estudar _____ meia hora. Estou a estudar _____ as 13h30.
4. Vou telefonar aos meus pais. Já não falo com eles _____ uns meses, mais precisamente _____ o Natal.
5. O professor está doente. Não temos aulas _____ quinta-feira; _____ quase uma semana.

54.4. Responda às seguintes perguntas com **desde** ou **há**.

1. Há quanto tempo não lê o jornal? (ontem) _____.
2. Quando é que chegaram? (cinco minutos) _____.
3. Há quanto tempo estuda português? (1992) _____.
4. Desde quando é que vives aqui? (dezembro) _____.
5. Quando é que foi a estreia? (quinze dias) _____.
6. Há quanto tempo estás à espera? (duas horas) _____.
7. Há quanto tempo estás à espera? (as 14h00) _____.
8. Há quanto tempo não anda de avião? (os cinco anos) _____.
9. Há quanto tempo não anda de avião? (cinco anos) _____.

Apêndice 1 — Lista de verbos

presente e pretérito perfeito simples do indicativo

			eu	tu	você/ele/ela	nós	vocês/eles/elas
regulares	fal**ar**	p.i.	fal**o**	-as	-a	-amos	-am
	beb**er**		beb**o**	-es	-e	-emos	-em
	abr**ir**		abr**o**	-es	-e	-imos	-em
	-ar	p.p.s.	-ei	-aste	-ou	-ámos	-aram
	-er		-i	-este	-eu	-emos	-eram
	-ir		-i	-iste	-iu	-imos	-iram
dar	p.i.		dou	dás	dá	damos	dão
	p.p.s.		dei	deste	deu	demos	deram
estar	p.i.		estou	estás	está	estamos	estão
	p.p.s.		estive	estiveste	esteve	estivemos	estiveram
dizer	p.i.		digo	dizes	diz	dizemos	dizem
	p.p.s.		disse	disseste	disse	dissemos	disseram
fazer	p.i.		faço	fazes	faz	fazemos	fazem
	p.p.s.		fiz	fizeste	fez	fizemos	fizeram
haver	p.i.				há		
	p.p.s.				houve		
ler	p.i.		leio	lês	lê	lemos	leem
	p.p.s.		formação regular				
perder	p.i.		perco	perdes	perde	perdemos	perdem
	p.p.s.		formação regular				
poder	p.i.		posso	podes	pode	podemos	podem
	p.p.s.		pude	pudeste	pôde	pudemos	puderam
querer	p.i.		quero	queres	quer	queremos	querem
	p.p.s.		quis	quiseste	quis	quisemos	quiseram
saber	p.i.		sei	sabes	sabe	sabemos	sabem
	p.p.s.		soube	soubeste	soube	soubemos	souberam
ser	p.i.		sou	és	é	somos	são
	p.p.s.		fui	foste	foi	fomos	foram
ter	p.i.		tenho	tens	tem	temos	têm
	p.p.s.		tive	tiveste	teve	tivemos	tiveram
trazer	p.i.		trago	trazes	traz	trazemos	trazem
	p.p.s.		trouxe	trouxeste	trouxe	trouxemos	trouxeram
ver	p.i.		vejo	vês	vê	vemos	veem
	p.p.s.		vi	viste	viu	vimos	viram
dormir	p.i.		durmo	dormes	dorme	dormimos	dormem
	p.p.s.		formação regular				
ir	p.i.		vou	vais	vai	vamos	vão
	p.p.s.		fui	foste	foi	fomos	foram
pedir	p.i.		peço	pedes	pede	pedimos	pedem
	p.p.s.		formação regular				
sair	p.i.		saio	sais	sai	saímos	saem
	p.p.s.		saí	saíste	saiu	saímos	saíram
servir	p.i.		sirvo	serves	serve	servimos	servem
	p.p.s.		formação regular				
subir	p.i.		subo	sobes	sobe	subimos	sobem
	p.p.s.		formação regular				
ouvir	p.i.		ouço/oiço	ouves	ouve	ouvimos	ouvem
	p.p.s.		formação regular				
vir	p.i.		venho	vens	vem	vimos	vêm
	p.p.s.		vim	vieste	veio	viemos	vieram
pôr	p.i.		ponho	pões	põe	pomos	põem
	p.p.s.		pus	puseste	pôs	pusemos	puseram
haver de	p.i.		hei de	hás de	há de	havemos de	hão de

pretérito imperfeito do indicativo

		eu	tu	você/ ele/ela	nós	vocês/ eles/elas
regulares	-ar	**-ava**	**-avas**	**-ava**	**-ávamos**	**-avam**
	-er	**-ia**	**-ias**	**-ia**	**-íamos**	**-iam**
	-ir	**-ia**	**-ias**	**-ia**	**-íamos**	**-iam**
ser		era	eras	era	éramos	eram
ter		tinha	tinhas	tinha	tínhamos	tinham
vir		vinha	vinhas	vinha	vínhamos	vinham
pôr		punha	punhas	punha	púnhamos	punham

futuro imperfeito do indicativo

	eu	tu	você/ ele/ela	nós	vocês/ eles/elas
regulares	**-ei**	**-ás**	**-á**	**-emos**	**-ão**
dizer	direi	dirás	dirá	diremos	dirão
fazer	farei	farás	fará	faremos	farão
trazer	trarei	trarás	trará	traremos	trarão

condicional presente

	eu	tu	você/ ele/ela	nós	vocês/ eles/elas
regulares	**-ia**	**-ias**	**-ia**	**-íamos**	**-iam**
dizer	diria	dirias	diria	diríamos	diriam
fazer	faria	farias	faria	faríamos	fariam
trazer	traria	trarias	traria	traríamos	trariam

Apêndice 2 — Pronomes pessoais

| sujeito | complemento | | | | reflexo |
	indireto	direto	com preposição	com preposição *com*	
eu	me	me	mim	comigo	me
tu	te	te	ti	contigo	te
você		o, a	si	consigo	
o senhor		o	si (o senhor)	consigo (com o senhor)	
a senhora	lhe	a	si (a senhora)	consigo (com a senhora)	se
ele		o	ele	com ele	
ela		a	ela	com ela	
nós	nos	nos	nós	connosco	nos
vocês			vocês	com vocês	
os senhores	vos	vos	os senhores	convosco	
as senhoras			as senhoras	convosco	se
eles	lhes	os	eles	com eles	
elas		as	elas	com elas	

Alterações sofridas pelas formas de <u>complemento direto</u> **o, a, os, as**:

$$\left. \begin{array}{l} - r \\ - s \\ - z \end{array} \right\} \mathbf{l}$$

Vou compra**r** <u>as laranjas</u>. ⟶ Vou comprá-**las**.

Tu lava**s** <u>os morangos</u>. ⟶ Tu lava-**los**.

Tra**z** <u>o livro</u> amanhã. ⟶ Trá-**lo** amanhã.

$$\left. \begin{array}{l} - m \\ - \tilde{a}o \\ - \tilde{o}e \end{array} \right\} \mathbf{n}$$

Faça**m** <u>o trabalho</u>. ⟶ Façam-**no**.

Eles d**ão** <u>as informações</u>. ⟶ Eles dão-**nas**.

P**õe** <u>o chapéu</u>. ⟶ Põe-**no**.

Exceções

Ele quer <u>o bolo</u>. ⟶ Ele quer**e**-o.

Tu tens <u>a caneta</u>? ⟶ Tu te**m**-la?

Apêndice 3 — Plural dos nomes e adjetivos

Plural dos nomes e adjetivos terminados em:

vogal ou ditongo (exceto – ão)

mesa – mesas	irmã – irmãs
cidade – cidades	pé – pés
táxi – táxis	mãe – mães
livro – livros	mau – maus
peru – perus	céu – céus

ditongo – ão

irmão – irmãos / mão – mãos
alemão – alemães / pão – pães
estação – estações / tostão – tostões

consoante

l

- **al**: jornal – jornais
- **el**: hotel – hotéis / pastel – pastéis / possível – possíveis
- **il**: difícil – difíceis / fácil – fáceis
- **ol**: espanhol – espanhóis
- **ul**: azul – azuis

m

bom – bons / homem – homens / jardim – jardins

r

cor – cores / lugar – lugares / mulher – mulheres

s

lápis – lápis
país – países / português – portugueses

z

feliz – felizes / rapaz – rapazes / vez – vezes

Chave dos Exercícios

Unidade 1

1.1.

1. é
2. somos
3. sou
4. são
5. és
6. é
7. é
8. são
9. somos
10. são

1.2.

2. sou/é
3. é
4. são
5. são
6. é
7. é
8. é
9. és
10. são
11. é
12. é
13. somos
14. é
15. é

1.3.

2. O futebol é um desporto muito popular.
3. Tu não és espanhol.
4. Elas são boas alunas.
5. Esta casa é moderna.
6. Nós somos secretárias.
7. O teste não é difícil.
8. Estes CD são da minha irmã.
9. A minha secretária é de madeira.
10. Aquela camisola não é cara.
11. Tu e o Miguel são amigos.
12. Eu sou magro.
13. A caneta é da Lúcia.

1.4.

3. O cão é um animal selvagem.
4. A gasolina é muito cara.
5. O avião é um meio de transporte rápido.
6. Portugal não é um país grande.
7. Nós somos estrangeiros.
8. Hoje (não) é quarta-feira.
9. Este prédio (não) é muito alto.
10. Os Alpes não são na Ásia.
11. A minha camisola (não) é de lã.
12. Vocês (não) são economistas.
13. Esta mala (não) é pesada.
14. O André e ele (não) são amigos.
15. O rio Tejo é em Portugal.

Unidade 2

2.1.

1. estás
2. está
3. está
4. estamos
5. está
6. estão
7. estou
8. estão
9. estão
10. estamos

2.2.

1. está
2. está/estão
3. está/Estou
4. estou
5. está
6. estão
7. está
8. estão
9. estão
10. está
11. estão
12. está/está
13. estamos
14. está

2.3.

2. Hoje está muito calor.
3. Os meus amigos estão na escola.
4. Eu estou na sala de aula.
5. A sopa não está muito quente.
6. Tu estás cansado.
7. Lá fora está muito frio.
8. O José está deitado, porque está doente.
9. O almoço está pronto.
10. O cão não está com fome.
11. Eu e a Rita estamos com sono.
12. A D. Graça não está no escritório.
13. Ela está de férias.
14. Eles estão à espera do autocarro.
15. Vocês não estão em casa.

Unidade 3

3.1.

1. está	5. são	9. está	13. é/está
2. está	6. está	10. estão	14. é
3. são	7. é	11. está	15. estão
4. está	8. estou	12. é	

3.2.

1. Hoje nós não estamos em casa à noite.
2. Eu estou cansado.
3. A minha mulher é professora.
4. O Rui está com fome.
5. Tu estás atrasado.
6. Esta sala é muito escura.
7. Eu não estou com sede.
8. Ela é de Lisboa.
9. De manhã está muito frio.
10. A Luísa está no estrangeiro.
11. A mesa é de vidro.
12. Os bolos de chocolate são sempre muito doces.

3.3.

2. O quadro é muito interessante.
   O quadro está na parede.
3. As mesas são grandes.
   As mesas estão sujas.
4. O supermercado é grande.
   O supermercado está aberto.
5. O empregado é simpático.
   O empregado está cansado.
6. Ele é inteligente.
   Ele está contente.

Unidade 4

4.1.

2. está a fazer	5. estamos a compreender	8. estou a ler
3. está a tomar	6. está a chegar	9. Estão a brincar
4. estou a ver	7. Está a beber	10. Está a chover

4.2.

3. Eu (não) estou a ouvir música.
4. Hoje (não) está a chover.
5. O telefone (não) está a tocar.
6. Eu (não) estou a ler o jornal.
7. Os meus colegas (não) estão a fazer exercícios.
8. Eu (não) estou a escrever.
9. Eu (não) estou a tomar café.
10. O professor (não) está a beber água.

4.3.

1. Ele está a apanhar sol.	3. Ele está a ler um livro.	5. Ela está a andar de bicicleta.
2. Ele está a ver televisão.	4. Ele está a escrever um email.	6. Ele está a atravessar a rua.

Unidade 5

5.1.

1. falo	4. telefona	7. pagam
2. mora	5. almoçamos	8. tomam
3. usas	6. trabalham	9. fica

5.2.

1. fecham	5. Gosto	9. lava
2. compra	6. jogam	10. usa
3. moramos	7. levanto	11. apanha
4. ensina	8. ficamos	12. começa/acaba

5.3.

1. toca	6. estudam	11. encontram
2. falamos	7. tomo	12. ganha
3. trabalho	8. paga	13. brincam
4. gosta	9. telefona	
5. andam	10. jantas	

5.4. (sugestões)

2. Nós acordamos sempre às 7h00.
3. O Pedro e a Ana normalmente apanham o autocarro das 8h00.
4. Tu raramente compras o jornal.
5. Vocês nunca jantam fora.
6. O Pedro nunca toma café à noite.

Unidade 6

6.1.

1. escreve	5. bebes	9. vivo
2. compreende	6. resolvem	10. correm
3. comemos	7. desce	11. aprendem
4. conheço	8. aqueço	12. esqueço

6.2.

1. bebemos/comemos	5. chove	9. esqueces
2. aprendem	6. escreve	10. desço
3. parece	7. compreendo	11. conhece
4. vivem	8. atende	12. responde

6.3.

2. Bebo.	8. Escrevo.	15. Conhecemos.
3. Resolvo.	9. Atendo.	16. Compreendemos.
4. Conheço.	10. Compreendo.	17. Descemos.
5. Aprendo.	12. Bebemos.	18. Aprendemos.
6. Vivo.	13. Corremos.	19. Resolvemos.
7. Chove.	14. Vivemos.	20. Recebemos.

Unidade 7

7.1.

1. sei	7. põe	14. leio
2. traz	8. leem	15. põem
3. veem	9. trago	16. ponho
4. digo	10. quer	17. faz
5. queremos	11. vejo	18. perco
6. posso	12. lê	19. veem
	13. faço	20. leem

7.2.

2. leem	4. sabe	6. quer/quero
3. fazem	5. vê	7. põe/ponho/põe

7.3.

2. Eu nunca vejo televisão.
3. Ela faz anos hoje.
4. Amanhã (eu) faço uma festa em casa.
5. (Eu) não sei o nome dela.
6. O Sr. Ramos lê o jornal todos os dias.
7. Eu trago uma prenda para a Ana.
8. Eu não posso sair à noite.
9. Eles trazem os livros na pasta.
10. Eu leio o jornal todos os dias.
11. Ela sabe falar muitas línguas.
12. A empregada traz o pão de manhã.
13. Hoje (eu) quero ficar em casa.
14. Ele vê mal ao longe.
15. Eu já leio o jornal em português.
16. Eu nunca perco o chapéu de chuva.

Unidade 8

8.1.
1. abrem
2. visto
3. dividimos
4. dispo
5. corrijo
6. decidem
7. consigo
8. servimos
9. sinto
10. traduzes
11. parte
12. prefiro
13. dirijo
14. discutem
15. conduzimos
16. permito

8.2.
2. O empregado serve o café à mesa.
3. Ela traduz romances para inglês.
4. O senhor segue sempre em frente.
5. Os bancos abrem às 8h30.
6. Ela divide o bolo com os irmãos.
7. Eu prefiro ficar em casa.
8. O avião parte às 17h00.
9. Tu nunca admites os teus erros.
10. Eu não consigo estudar com barulho.
11. No início da aula o professor introduz a matéria nova.
12. Eu hoje sinto-me muito cansado.

8.3.
2. Consigo.
3. Abro.
4. Sigo.
5. Dispo.
6. Corrijo.
7. Sirvo.
8. Visto.
9. Prefiro.
10. Dirijo.
12. Discutimos.
13. Decidimos.
14. Admitimos.
15. Partimos.
16. Conseguimos.
17. Traduzimos.
18. Preferimos.
19. Despimos.
20. Permitimos.

Unidade 9

9.1.
1. sobem
2. peço
3. fugimos
4. ouço
5. durmo
6. saem
7. rio
8. caímos
9. fujo
10. ris
11. sobe
12. vão
13. vou
14. vêm
15. vamos
16. venho

9.2.
1. foge
2. riem
3. durmo
4. vêm
5. vou
6. peço
7. sobe
8. ouço
9. sais
10. caem

9.3.
1. substitui
2. distribuem
3. constrói
4. contribuímos
5. atribui
6. destrói
7. retribuo
8. constitui
9. destroem
10. distribui
11. contribui

Unidade 10

10.1.
2. (Eles) fazem reportagens.
   Agora estão a entrevistar um político.
   não estão.
3. (Ele) ensina português.
   Agora está a corrigir exercícios.
   está.
4. (Ela) envia emails.
   Agora está a atender o telefone.
   não está.
5. (Eles) estudam línguas.
   Agora estão a fazer exercícios.
   estão.

10.2.

2. veem
3. estou a preparar
4. bebe/come
5. jogam
6. estão a jogar

7. estás a fazer
8. gostam
9. estou a ouvir
10. Está a tomar

Unidade 11

11.1.

1. tenho
2. tem
3. temos
4. têm

5. têm
6. tens
7. tem
8. têm

9. tem
10. temos
11. têm
12. têm

11.2.

1. têm
2. temos
3. tem
4. tem

5. tenho
6. tenho
7. têm/têm

8. tens/Tenho
9. tem/tem
10. tenho

11.3.

3. Não, não temos, mas ele tem.
4. Tenho. Tenho três filhos.
5. Não, não tenho, mas eles têm.
6. Tem. Tem quatro irmãos.
7. Não, não tenho, mas o Hélder tem.

8. Temos. Temos dois carros.
9. Não, não tenho, mas ela tem.
10. Temos. Temos muitos amigos.
11. Não, não tenho, mas o Pedro tem.
12. Não, não temos, mas ele tem.

Unidade 12

12.1.

1. fui
2. teve
3. esteve
4. foi
5. foi
6. tive

7. estive
8. tiveste
9. fomos
10. fui
11. foram
12. tivemos

13. esteve
14. foste
15. teve
16. foram
17. estivemos
18. tiveram

19. estiveste
20. foste
21. fomos
22. tiveram
23. foi
24. estiveram

12.2.

2. Foram, foram.
3. Foi, foi.
4. Foi, foi.
5. Foi, foi.
6. Fui, fui.
8. Tivemos, tivemos.
9. Tive, tive.
10. Teve, teve.

11. Tive, tive.
12. Tive, tive.
14. Fui, fui.
15. Fui, fui.
16. Fomos, fomos.
17. Foi, foi.
18. Fui, fui.

19. Fomos, fomos.
21. Esteve, esteve.
22. Estive, estive.
23. Estive, estive.
24. Estive, estive.
25. Estive, estive.
26. Estivemos, estivemos.

12.3.

1. ele foi de carro para o trabalho.
2. fui ao supermercado.
3. fomos ao cinema.
4. tive um teste.
5. esteve doente.

6. estive em casa à noite.
7. foi um bom aluno
8. estiveram
9. foram
10. foram a uma festa.

Unidade 13

13.1.

1. comprou
2. dormiste
3. falámos
4. partiram
5. nasceu
6. paguei
7. fiquei
8. comemos
9. conseguiu
10. perderam
11. comecei
12. abriste

13.2.

2. Ouvi.
3. Comprámos.
4. Trabalhei.
5. Dormi.
6. Paguei.
7. Perdemos.
8. Tomei.
9. Encontrámos.
10. Li.

13.3. (sugestão)

Tomou duche, tomou o pequeno-almoço às 11h00 e foi às compras.
À tarde leu o jornal e ouviu música.
À noite jantou fora, foi ao cinema com os amigos e voltou para casa à meia-noite.
dormiu até ao meio-dia e almoçou fora.
À tarde falou com os amigos no *Messenger* e depois telefonou à avó.
À noite ficou em casa e foi para a cama cedo.

Unidade 14

14.1.

1. pus
2. pôde
3. deu
4. vi
5. fez
6. quiseste
7. vim
8. trouxe
9. souberam
10. vimos
11. trouxeram
12. pôs
13. veio
14. fiz
15. demos
16. pude

14.2.

1. fizeram
2. quis
3. veio/trouxe
4. pôs
5. pude
6. vimos
7. fizeram
8. vieram
9. deu
10. viste
11. souberam
12. viu/vi

14.3.

2. Eles trouxeram presentes para todos.
3. Eu não pude ir ao cinema.
4. Nós vimos um bom filme na TV.
5. Ninguém fez os exercícios.
6. Vocês souberam o que aconteceu?
7. Os meus amigos deram uma festa no sábado.
8. Ela quis ficar em casa.
9. Eles puseram o casaco e saíram.
10. O que é que tu fizeste ontem?
11. Vocês trouxeram os livros?
12. Eu não vi o acidente.
13. O Simão não pôde ir ao futebol.
14. Quantos erros deu a Clara na composição?
15. Eu vim de carro para a escola.

Unidade 15

15.1.

3. veste-<u>se</u>
4. encontram-<u>se</u>
5. <u>se</u> esqueceu
6. <u>se</u> chama
7. <u>se</u> lembram
8. deitam-<u>se</u>
9. <u>te</u> lavaste
10. <u>me</u> lavei

15.2.

1. me levanto
2. Encontramo-nos
3. sentas-te/sento-me
4. Chama-se
5. deitamo-nos
6. Lembro-me
7. Esqueci-me
8. nos lavámos
9. registei-me
10. levantei-me/levantou-se

Unidade 16

16.1.

1. era
2. ficava
3. punha
4. andavas
5. comíamos
6. tinha
7. liam
8. viam
9. iam
10. ouvias
11. faziam
12. vinha
13. estava
14. pedíamos
15. queria
16. levantava-me
17. escrevia
18. ajudavas
19. íamos
20. vinham
21. eras

16.2.

2. Fazia a cama.
3. Arrumava a roupa.
4. Tomava duche.
5. Vestia-se no quarto.
6. Secava o cabelo.
7. Bebia um copo de leite.
8. Apanhava o autocarro às 7h00.
9. Começava as aulas às 8h00.
10. Das 17h00 às 18h00 fazia os trabalhos de casa e estudava.
11. Às 20h00 jantava com a família.
12. Consultava o email e falava com os amigos no *Messenger*.
13. Cerca das 23h00 ia dormir.

16.3.

1. eram/viviam
2. levantavam-se
3. Saíam/iam
4. tinham
5. Voltavam/almoçavam/iam
6. brincavam
7. jantavam/deitavam-se

Unidade 17

17.1.

2. Costumava trabalhar num escritório; agora trabalho num banco.
3. Aos domingos costumavam ficar em casa; agora vão ao cinema.
4. Costumávamos ter férias em julho; agora temos férias em agosto.
5. Costumava ser muito gordo; agora é magro.
6. A Ana costumava estudar pouco; agora estuda muito.
7. O Sr. Machado costumava chegar atrasado; agora chega a horas.
8. Costumava praticar desporto; agora não faço nada.
9. Aos sábados costumava ir à praça; agora vai ao supermercado.
10. As crianças costumavam brincar em casa; agora brincam no jardim.
11. O João costumava viver com os pais; agora vive sozinho.

17.2.

2. Antigamente não havia aviões.
   As pessoas costumavam viajar de comboio.
3. Antigamente não havia carros.
   As pessoas costumavam andar mais a pé.
4. Antigamente não havia telefones.
   As pessoas costumavam escrever cartas.
5. Antigamente não havia televisão.
   As pessoas costumavam conversar mais.
6. Antigamente não havia cinema.
   As pessoas costumavam ir ao teatro.

17.3.

2. A mãe costumava fazer compras na mercearia local.
3. As crianças costumavam brincar na rua.
4. À tarde costumavam dar passeios de bicicleta.
5. Aos domingos costumavam fazer um piquenique.

Unidade 18

18.1.

1. tinhas/Tinha/tinha
2. Eram
3. era

4. tinha/tinha/Eram
5. eram

18.2.

2. Enquanto os filhos tomavam duche, a mãe arrumava os quartos.
3. Enquanto eu via televisão, ele lia o jornal.
4. Enquanto eles preparavam as bebidas, nós púnhamos a mesa.
5. Enquanto ela estava ao telefone, tomava notas.
6. Enquanto a Xana e o Filipe estudavam, ouviam música.
7. Enquanto a orquestra tocava, o Sr. Martins dormia.
8. Enquanto as crianças brincavam, nós conversávamos.
9. Enquanto o professor ditava, nós escrevíamos os exercícios.
10. Enquanto a empregada limpava a casa, eu tratava das crianças.
11. Enquanto ele falava, fazia gestos com as mãos.
12. Enquanto o Zezinho vestia o pijama, a mãe abria a cama.
13. Enquanto ela estudava, enviava *sms* aos amigos.
14. Enquanto eles jogavam *Playstation*, elas ouviam música.
15. Enquanto eu me dirigia para a porta, o cão ladrava.

Unidade 19

19.1.

2. A Inês estava a dormir.
   A mãe entrou.
   Ela levantou-se.
3. O Sr. Pinto estava a pintar a sala.
   Ele caiu do escadote.
   Ele partiu o braço.

4. Eles estavam a jogar no jardim.
   Começou a chover.
   Eles foram para casa.
5. Eu estava a ouvir música.
   O chefe chegou.
   Eu desliguei o rádio.

19.2.

2. O Duarte estava a tomar duche quando o telefone tocou.
3. Estava a chover quando nós saímos de casa.
4. Os alunos estavam a trabalhar quando o professor entrou.
5. Eu estava a ver televisão quando os meus amigos tocaram à porta.
6. Eles estavam a jogar futebol quando começou a chover.
7. Nós estávamos a trabalhar quando o computador se avariou.

19.3.

3. tinha/comi
4. estava/fui
5. chegou/tomávamos
6. estava/estavam/cheguei
7. foi/Estava
8. fizeram/Fomos
9. estava a trabalhar (trabalhava)/Saí

10. encontrámos/trazia
11. estava a tomar (tomava)/ouvi/Levantei-me/olhei/vi
12. era/era/usava
13. era/tinha
14. estava/falámos
15. vinham/viram

Unidade 20

20.1.

2. Trazia
3. Passava

4. Dizia
5. Dava

20.2.

2. queria
3. ia
4. conseguíamos
5. preferia
6. chegavas
7. adoravam
8. Queria
9. ficava
10. era
11. apetecia
12. gostava

20.3.

2. Ia ao cinema, mas tenho de estudar.
3. Comia o bolo, mas estou a fazer dieta.
4. Eles iam à festa, mas não podem sair.
5. Fazia a viagem, mas não tenho dinheiro.
6. Tomava um café, mas o café faz-me mal.

Unidade 21

21.1.

2. tinha comido.
3. tinham voltado para França.
4. Tinha ganhado a lotaria.
5. tinha gastado muito dinheiro.
6. tinha combinado ir ao concerto.
7. tinha aberto a janela e feito a cama.
8. tínhamos visto o filme.
9. tinha andado de avião.
10. tinham ido para a cama.

21.2.

2. tinha começado/entrámos
3. levantei/tinha arrumado
4. tínhamos acabado/telefonaste
5. encontrámos/tinha falado

21.3.

3. tinham dormido
4. dormiste
5. tive
6. tinha tido
7. andei
8. tinha andado

Unidade 22

22.1.

2. tem ido/Tem estado
3. Tenho tido
4. temos ido
5. tem feito/têm saído

22.2.

2. Eu não tenho falado com eles ultimamente.
3. Eles têm ido à praia todos os dias.
4. Ele não tem vindo trabalhar.
5. A tua equipa tem ganhado muitos jogos?
6. Nós temos perdido quase todos os jogos.
7. O tempo tem estado ótimo.
8. Ultimamente têm aberto muitos restaurantes japoneses.
9. Nestes últimos anos eu não tenho tido férias.
10. Ele tem escrito vários artigos sobre educação.

22.3.

2. tem descansado/nasceu
3. fui/tenho estado
4. acabaram/têm tido
5. tenho visto/ficou
6. compraram/têm dado
7. começou/tem feito
8. mudei/tenho encontrado
9. temos ido/nos casámos
10. tem vindo/abriu

Unidade 23

23.1.
2. Ela vai fazer os exercícios.
Ela está a fazer os exercícios.
Ela acabou de fazer os exercícios.
3. O Francisco vai tomar duche.
O Francisco está a tomar duche.
O Francisco acabou de tomar duche.

4. Eu e a Vanda vamos pôr a mesa.
Eu e a Vanda estamos a pôr a mesa.
Eu e a Vanda acabámos de pôr a mesa.
5. Eles vão falar com o professor.
Eles estão a falar com o professor.
Eles acabaram de falar com o professor.

23.2.
2. O que é que a Diana vai fazer depois das aulas?
Vai jogar ténis.
3. O que é que tu vais fazer logo à tarde?
Vou estudar português.
4. O que é que nós vamos fazer amanhã de manhã?
Vamos fazer compras.
5. O que é que vocês vão fazer no próximo fim de semana?
Vamos passear até Sintra.

23.3.
2. Acabámos de entrar.
3. Acabou de levantar-se.

4. Acabou de vestir-se.
5. Acabaram de chegar.

Unidade 24

24.1.
1. irei
2. terás
3. partirá
4. farei
5. diremos
6. trará
7. serão
8. virão
9. sairei
10. falaremos
11. comeremos
12. ouvirão
13. verás
14. porá
15. poderei

24.2.
2. Ficará lá dois dias.
3. No dia 18 chegará a Paris.
4. Cinco dias depois viajará para Viena.

5. De Viena irá para Roma.
6. No dia seguinte partirá para Atenas.

24.3.
1. fumarei
2. será
3. falarei
4. gostarei
5. farei

24.4.
1. iniciará
2. começará/visitará
3. estará
4. irá/ficará
5. terá

24.5.
1. Será
2. Estará
3. Será
4. passarão
5. estará

Unidade 25

25.1.
1. daríamos
2. serias
3. faria
4. poderia
5. iria
6. leria
7. trarias
8. estaria
9. veriam
10. diríamos
11. viria
12. falaria
13. teriam
14. poria
15. ouviriam
16. chegaríamos

25.2.

2. Daria…
3. Poderia…
4. …deveriam…
5. …gostaria…

6. …seria…
7. …estaria…
8. Poderíamos…

9. …adoraria…
10. …seria…
11. …importaria…

25.3.

2. iria
3. pagaria
4. gastaria

5. falaria
6. seria
7. veria

8. leria
9. diria
10. contaria

Unidade 26

26.1.

4. Põe
5. Ponha
6. Ponham
7. Traz
8. Traga
9. Tragam

10. Pede
11. Peça
12. Peçam
13. Lê
14. Leia

15. Leiam
16. Faz
17. Faça
18. Façam
19. Despe

20. Dispa
21. Dispam
22. Vem
23. Venha
24. Venham

26.2.

1. Lavem
2. Vistam
3. Desliguem

4. Digam
5. Durmam

26.3.

2. Vire à esquerda.
3. Come uma sandes.
4. Põe a mesa
5. Vista o casaco.
6. Bebam um sumo.

7. Vê as palavras no dicionário.
8. Leia as instruções.
9. Peçam dinheiro ao vosso pai.
10. Traga queijo e fiambre
11. Substitua a pilha.

12. Façam boa viagem.
13. Veja o telejornal logo à noite.
14. Ouça o relato no rádio.
15. Sobe pelas escadas.
16. Venha connosco.

Unidade 27

27.1.

1. Sê
2. Seja
3. Sejam
4. Vai

5. Vá
6. Vão
7. Dá
8. Dê

9. Deem
10. Está
11. Esteja
12. Estejam

27.2.

2. fales
3. comas
4. tires
5. sujes

6. partas
7. escrevas
8. digas

9. faças
10. entornes
11. dês

27.3.

2. Não bebam água da torneira.
3. Deem os parabéns à avó.
4. Não saias do pé de mim.
5. Estejam com atenção.
6. Não sejas preguiçoso.
7. Não se atrase.
8. Vão fazer os trabalhos de casa.
9. Não destruas o *puzzle*.

10. Não conduza tão depressa.
11. Não sintam pena dele.
12. Não atires papéis para o chão.
13. Dê o recado à Inês, por favor.
14. Não percas o chapéu de chuva.
15. Não distribuam já os presentes.
16. Não vá por esse caminho.

128

Unidade 28

28.1.
1. estar
2. pensarmos
3. chegarem
4. partirem
5. estarem
6. aceitarem
7. encontrarmos
8. tomarem
9. chegar
10. irem
11. saberem
12. voltar
13. comeres
14. provares
15. receber

28.2.
2. No caso de não poder ir, telefono-lhe.
3. Apesar de não me sentir bem, vou trabalhar.
4. Depois de ires às compras, vens logo para casa.
5. Antes de comerem o bolo, têm de lavar as mãos.
6. Depois de acabares o trabalho, fechas a luz.
7. Apesar de ter um bom emprego, não está satisfeito.
8. Antes de verem o filme, deviam ler o livro.
9. No caso de não termos aulas, vamos ao museu.
10. Depois de eles sairem, arrumo a casa.

28.3.
2. até (sem)/chegar
3. para/irmos
4. por estar
5. até/chegarem
6. ao abrirem

Unidade 29

29.1.
2. misturando bem
3. cantando e rindo
4. fazendo comida para fora
5. sorrindo, as histórias do filho
6. Dormindo pouco

29.2.
2. Esfregando
3. Indo
4. Carregando
5. Copiando
6. Caindo
7. Falando
8. Pedindo
9. Comprando
10. Trabalhando

29.3.

A	B	C
2. vão escrevendo…	2. vai arrumando…	2. vou fazendo…
3. vão fazendo…	3. vai limpando…	3. vou traduzindo…
4. vão ouvindo…	4. vai estendendo…	4. vou arquivando…
5. vão estudando….	5. vai preparando…	5. vou tirando…
6. vão preparando…	6. vai pondo…	6. vou preenchendo…

Unidade 30

30.1.
2. …há …
3. Tem havido…
4. …houve…
5. …havia…
6. …há…
7. …houve…
8. …houve…
9. Há…
10. Há…
11. …há…
12. …haverá…
13. …haveria…

30.2.
Lídia: …há de ser…/…hei de conhecer…
Eunice: …hás de aprender…
Lídia: …havemos de tirar…
Eunice: …hão de esquecer…/Hão de divertir-se…/hão de contar…
Lídia: …hás de ir…

30.3.
2. …hás de fazer…/…há de correr…
3. …hão de encontrar…
4. …havemos de visitar…
5. … há de haver…
6. …hei de ir.

Unidade 31

31.1.
2. sei
3. pode
4. Posso
5. consigo
6. Sabes/Sei
7. consegui (conseguiu)
8. Conheces/conheço
9. pôde
10. consigo
11. sei/consigo
12. Conhece(s)
13. pode
14. conseguimos
15. Conheço

31.2.
3. Precisam de ser arranjados.
4. Preciso de ir às compras.
5. Precisas de cortar o cabelo.
6. Precisam de ser cosidas.

31.3.

A	B
2. Deve ser da Mary.	2. deviam
3. Devem estar de férias.	3. devia
4. Deves estar com gripe.	4. Devíamos
5. Devo ir ver amanhã.	5. Devias
6. Ele deve chegar atrasado.	6. devias

31.4. *
2. Tenho de
3. tiveram de
4. Têm de
5. tens de
6. Tenho de

* Qualquer destas respostas pode ter como alternativa **ter que** na forma correta.

Unidade 32

32.1.
2. vai ser inaugurada pelo presidente.
3. O almoço é oferecido pela empresa.
4. O jogo será transmitido para toda a Europa pelo canal 6.
5. Os quartos já tinham sido arrumados pela empregada.
6. Muitos turistas são atraídos pelo clima da região.
7. As crianças foram acordadas pelo barulho.
8. Muitos jovens têm sido contratados por essa agência.
9. O 1.º prémio foi ganho pela nossa equipa.
10. Os desenhos foram feitos pelas crianças da creche.

32.2.
2. foi visto perto da fronteira.
3. O banco foi assaltado na noite passada.
4. Os impostos foram aumentados.
5. Mais escolas vão ser construídas.
6. O hotel vai ser aberto no próximo verão.

32.3.
2. Foi destruída
3. Foi rebocado
4. Foi assaltado
5. Foram roubados
6. Foi atacada

32.4.

2. foi ganho pela Dina.
3. Os documentos foram encontrados pelo Tiago.
4. A viagem foi oferecida pela agência.
5. As flores foram encomendadas por nós.

6. Os exercícios foram feitos por ele.
7. O artigo foi escrito por eles.
8. O vidro foi partido por ti.

Unidade 33

33.1.

2. está fechada
3. os sapatos estão limpos
4. os alunos estão informados

5. o quarto está arrumado
6. o contrato está assinado
7. a encomenda está entregue

8. a resposta está dada
9. o carro está arranjado
10. as contas estão feitas

33.2.

2. estão feitas
3. As luzes estão acesas
4. Os testes estão corrigidos

5. A mesa está posta
6. A porta está aberta
7. As pessoas estão informadas

8. O vestido está roto
9. Os documentos estão entregues
10. O cabelo está seco

33.3.

3. Já está arranjada
4. Os dentes estão arranjados
5. os exercícios estarem feitos

6. o chefe da quadrilha estava morto
7. A mesa já está posta
8. todas as pessoas já estavam salvas

Unidade 34

34.1.

2. Precisa-se de motorista.
3. Vendem-se apartamentos.
4. Compram-se roupas usadas.

5. Fala-se francês.
6. Dão-se explicações.
7. Aluga-se sala para congressos.

8. Servem-se pequenos-almoços.
9. Admitem-se cozinheiras.
10. Aceitam-se cheques.

34.2.

2. comemora-se a liberdade.
3. come-se bacalhau à consoada.
4. bebe-se mais água.

5. festejam-se os Santos Populares.
6. apanha-se o barco.

34.3.

2. Alugaram-se duas camionetas para o passeio.
3. Colocou-se o anúncio na Internet.
4. Ultimamente têm-se construído muitas escolas.

5. Já se marcou a viagem.
6. Fizeram-se obras no museu.

34.4.

2. Cozem-se as batatas e depois descascam-se.
3. Batem-se os ovos com o açúcar.
4. Pica-se a carne e depois mistura-se com o molho.

5. Arranja-se o peixe e passa-se por farinha.
6. Corta-se o queijo e põe-se no pão.

Unidade 35

35.1.

2. no mês seguinte ia mudar para um apartamento novo.
3. se ia casar na semana seguinte.
4. não tinha tempo para preparar nada.
5. tinha tirado uns dias de férias para tratar de tudo o que era necessário.
6. eu queria ir jantar a casa dela.
7. o futuro marido dela também iria ao jantar.
8. ele trabalha (trabalhava) numa consultora.
9. já tinham feito os planos para a lua de mel.
10. iam fazer um cruzeiro pelo Mediterrâneo.
11. partiriam logo a seguir ao casamento.
12. eu estava convidada para a festa.

35.2.

2. tinhas dito que ias ao cinema.
3. Pensei que tinhas dito que o filme não tinha sido bom.
4. Julguei que tinhas dito que a Julieta não gostava do Sebastião.
5. Pensei que tinhas dito que eles não se iam casar.
6. Julguei que tinhas dito que tomavas (sempre) café.
7. Pensei que tinhas dito que querias falar com eles.
8. Julguei que tinhas dito que podias ir à festa.
9. Pensei que tinhas dito que hoje à noite não ficavas em casa.
10. Julguei que tinhas dito que não tinhas chumbado no exame.
11. Pensei que tinhas dito que o empregado não era simpático.
12. Julguei que tinhas dito que não tinhas pagado o almoço.
13. Pensei que tinhas dito que não tinhas gastado o dinheiro todo.
14. Julguei que tinhas dito que o Hugo não vinha connosco.

Unidade 36

36.1.

1. o	11. o	21. o	31. as
2. as	12. a	22. a	32. o
3. a	13. o	23. o	33. a
4. os	14. a	24. a	34. o
5. a	15. o	25. o	35. a
6. as	16. a	26. a	36. os
7. a	17. o	27. o	37. a
8. o	18. a	28. a	38. o
9. as	19. o	29. o	39. a
10. a	20. a	30. a	40. o

36.2.

1. uma	5. um	9. uma
2. uma	6. uma	10. uma
3. um	7. um	11. um
4. uma	8. uma	12. umas

36.3.

1. uma	7. o	12. As
2. a	8. O/a	13. um
3. uma	9. uma	14. um/uma
4. A	10. um	15. O/a
5. o	11. umas/uns	16. um
6. uma		

Unidade 37

37.1.

1. Isto	4. Isso	7. Isto	10. Isso
2. Isso	5. Aquilo	8. Aquilo	11. Isto
3. Aquilo	6. Isto	9. Isto	12. Isso

37.2.

1. Isso	4. Aquilo	7. Isto	10. Isto
2. Aquilo	5. Isso	8. Aquilo	11. Isso
3. Isto	6. Aquilo	9. Isso	12. Isso

37.3.

2. Aquilo são os correios.
3. Isso é o quadro da sala.
4. Isto é uma borracha.
5. Isso são canetas.

7. Isto é uma janela.
8. Isso é um dicionário.
9. Aquilo é a pasta do professor.
10. Isto é uma caneta.

Unidade 38

38.1.

1. estas	4. esta	7. esta	10. esta
2. este	5. estas	8. este	11. este
3. este	6. estes	9. estes	12. estas

38.2.

1. esse	4. esses	7. essa	10. essas
2. essas	5. esse	8. essas	11. essa
3. esse	6. essas	9. esse	12. esse

38.3.

1. aquelas	4. aqueles	7. aquela	10. aquele
2. aquela	5. aquelas	8. aqueles	11. aquelas
3. aquele	6. aquele	9. aquele	12. aquela

38.4.

2. Aquelas flores são artificiais.
3. Este presente é para o professor.

4. Esses óculos são da Dália.
5. Aquele supermercado é novo.

38.5.

2. Esse/este	5. Esse/este	8. Essas/estas
3. Esses/estes	6. Essa/esta	9. Esse/este
4. Essa/esta	7. Esse/este	10. Esse/este

Unidade 39

39.1.

3. É vosso.	7. São nossas.	10. É dele.
4. São minhas.	8. É dela.	11. É seu.
5. É teu.	9. São vossas.	12. São nossos.
6. São deles.		

39.2.

2. dele	5. dele
3. dela	6. delas
4. deles	

39.3.

3. o seu carro	9. a nossa praia	14. a tua casa nova
4. a minha escola	10. as suas canetas	15. os filhos deles
5. o nosso quarto	11. o escritório dele	16. o vosso dicionário
6. a mala dela	12. os vossos livros	17. a nossa filha
7. os vossos amigos	13. os nossos avós	18. o meu portátil
8. os namorados delas		

Unidade 40

40.1.

1. Quem
2. A que horas
3. De que cor
4. O que
5. Qual
6. Quanto tempo
7. Quantos
8. Quantas
9. Como
10. Onde

40.2.

2. Quanto tempo/Quantas horas demoraram
3. A que horas chegaram
4. Para onde foram
5. O que é que fizeram
6. Onde é que jantaram
7. O que é que comeram
8. Como é que voltaram para o hotel
9. Como estava a noite
10. Porque é que se deitaram cedo

40.3.

1. Onde
2. Para onde
3. Por onde
4. De onde (Donde)
5. Quem
6. A quem
7. Para quem
8. De quem
9. O que
10. Que
11. A que
12. Em que
13. Quanto
14. Quantos
15. Quantas
16. Quanto

Unidade 41

41.1.

2. alguém/ninguém
3. todo/tudo/nada
4. alguma/nada
5. todos/tudo
6. algum/nenhum

41.2.

1. nada
2. tudo
3. todos
4. todo
5. todo
6. muitas
7. Todos
8. pouco
9. Alguém
10. todo/toda/nada
11. nada
12. outra
13. Ninguém
14. Toda
15. Alguns/ninguém

41.3.

4. Não há nenhuma sala livre
5. Não está ninguém no escritório
6. Ela não arrumou nada
7. Não lhe deram nenhumas informações
8. Ele bebe pouco leite
9. Não há nenhum feriado este mês
10. As crianças não desarrumaram nada
11. Amanhã não tenho nenhum tempo livre
12. Pouca gente os conhece
13. Não visitámos nenhuns locais de interesse
14. Hoje tive pouco trabalho
15. Ninguém telefonou enquanto estive fora
16. O Rafael acha que não sabe nada

Unidade 42

42.1.

2. que
3. quem
4. que
5. onde
6. que
7. que
8. que
9. quem
10. onde

42.2.
2. …com o qual…
3. …para a qual…
4. …no qual…

5. …dos quais…
6. …ao qual…

42.3.
2. …cujas paredes são cor de rosa,…
3. …cujos resultados foram os melhores,…
4. …cuja camisola é às riscas,…

5. …cuja capa é encarnada,…
6. …cujo casaco é preto,…

42.4.
2. Lisboa, cujo padroeiro é o Santo António, é uma cidade em festa na noite de 12 para 13 de junho.
3. O empregado com quem falámos era muito simpático.
4. Passei no exame para o qual estudei muito.
5. Qual é o nome do hotel onde nós ficámos?
6. A senhora, a quem aluguei a casa, ainda está no estrangeiro.
7. A história que eles contaram era mentira.
8. Isso é uma afirmação, com a qual (eu) não concordo.
9. Viste o dinheiro que estava em cima da mesa?
10. O médico que me atendeu era muito competente.

Unidade 43

43.1.
2. te
3. a
4. o
5. nos

6. vos
7. os
8. as

43.2.
2. Tem-la visto?
3. Não o comam todo.
4. Podes guardá-la. Já a li.
5. Puseram-nos e saíram.
6. Vê-lo connosco.
7. Fechem-na à chave.
8. Ajuda-me a levantá-lo.

9. Façam-nas bem.
10. Põe-nos na pasta.
11. Também os convidámos.
12. Levem-nos no carro.
13. Encontraste-o?
14. Deixei-os na escola.
15. Fá-los em casa.

16. Gostei de ouvi-lo.
17. Aqueçam-no.
18. Tenho de lê-los.
19. Tem-nas consigo?
20. Dão-na à Alexandra?

43.3.
2. nos
3. te
4. vos

5. me
6. o
7. o

8. as
9. vos
10. os

Unidade 44

44.1.
2. te
3. lhe
4. lhe

5. lhe
6. nos
7. vos

8. lhes
9. lhes
10. lhes

44.2.
2. mos
3. lhos
4. lhas

5. mas
6. lha

7. lho
8. ma

44.3.

2. Vou mostrá-lo a ti.
   Vou mostrar-te o quarto.
   Vou mostrar-to.
3. Ele ofereceu-os a mim.
   Ele ofereceu-me os bilhetes.
   Ele ofereceu-mos.
4. Já as dei ao Sr. Barbosa.
   Já lhe dei as informações.
   Já lhas dei.
5. Eles contaram-na ao Dinis.
   Eles contaram-lhe a história.
   Eles contaram-lha.
6. Mandei-a à D. Maria.
   Mandei-lhe a encomenda.
   Mandei-lha.
7. Demo-la ao professor.
   Demos-lhe a prenda.
   Demos-lha.
8. Entregaste-os ao aluno.
   Entregaste-lhe os livros.
   Entregaste-lhos.
9. Já a pagaste ao senhorio.
   Já lhe pagaste a renda.
   Já lha pagaste.
10. Mostramo-lo à Isabel.
    Mostramos-lhe o apartamento.
    Mostramos-lho.
11. Emprestei-o ao teu irmão.
    Emprestei-lhe o dicionário.
    Emprestei-lho.
12. Só a contei a ti.
    Só te contei a conversa.
    Só ta contei.

Unidade 45

45.1.

mim · si · vocês · ti · nós · eles

45.2.

comigo · consigo · connosco · contigo · com a Daniela · com eles

45.3.

1. connosco/convosco
2. consigo/com ele
3. com eles/comigo
4. convosco
5. comigo
6. com vocês/connosco/contigo
7. contigo
8. com ele
9. consigo/comigo
10. convosco

45.4

1. mim/ti
2. ti
3. si/mim
4. mim
5. si
6. mim
7. ti
8. mim
9. ela
10. ti

Unidade 46

46.1.

1. em frente do
2. à frente do
3. dentro da/na
4. debaixo do
5. entre
6. na
7. à
8. ao lado do

46.2.

1. na
2. em frente do
3. no
4. debaixo da
5. no/ao lado do
6. em cima da
7. na
8. à
9. na
10. na
11. no
12. entre
13. ao pé da
14. à
15. atrás da
16. em cima da

46.3.

1. à
2. entre
3. à
4. à/à frente do
5. entre
6. à/à frente do
7. atrás do
8. ao lado da
9. atrás da
10. ao lado da

Unidade 47

47.1.

1. a	5. para	8. a/para
2. ao	6. ao	9. ao
3. para	7. para	10. para
4. à		

47.2.

1. para/pela	5. para/para	8. pelo
2. pela	6. para/por/pelo	9. para/pelo
3. pela	7. para/pela	10. para
4. pelo		

47.3.

1. de/de	5. do	8. do/no
2. na	6. do/no	9. da
3. de	7. no	10. do
4. no/de		

47.4.

2. O Rúben vai para a escola a pé.
3. Nós vamos no carro dele.
4. Eles voltam para Madrid no comboio das 20h30.
5. Eu saio de casa às 8h00.
6. Eles vão à (para a) praia de camioneta.

Unidade 48

48.1.

1. A/de	8. Ao	15. De
2. Às/da	9. Em/de	16. Às/da
3. Na	10. No/do	17. À
4. No	11. À/da	18. Na
5. Na	12. No/de	19. Em
6. Nas/de	13. Na	20. Às/da
7. À	14. Em	21. Às

48.2.

1. por	5. por	8. por
2. para	6. para	9. Para
3. para	7. pelas	10. por
4. para		

48.3.

1. Ao	4. Na	6. aos
2. No	5. às/na	7. No
3. À/à		

48.4.

1. às/da/à	5. aos/de	8. no/em
2. aos	6. a/de/no/de	9. de/a
3. em	7. No/de	10. no
4. à/às		

Unidade 49

49.1.

1. de/à
2. de
3. no
4. de/com
5. por
6. da
7. com
8. a
9. pelas
10. dele
11. dos
12. por/em
13. contigo
14. em
15. do
16. em
17. contigo
18. em
19. em
20. à

49.2.

1. simpatizei/com
2. viviam em/regressaram a
3. se interessou por
4. se encostou ao
5. tinha chegado ao
6. perguntou por
7. depende da
8. esforça-se por
9. optou por
10. queixar-se de

49.3.

1. Esta noite sonhei com fantasmas.
2. Nós esperamos por ti lá em baixo.
3. Gostava de ir com vocês mas não posso.
4. As mães preocupam-se sempre com os filhos.
5. Ultimamente (eu) tenho pensado em ti.
6. O inspetor suspeita/suspeitou do marido da vítima.
7. Ele não se habitua/habituou à vida na cidade.
8. Ainda se lembra do meu irmão?
9. O Diogo insistiu em pagar o jantar.
10. Concentra-te no teu trabalho.

Unidade 50

50.1.

1. de
2. dos
3. dos
4. com
5. de
6. com
7. de
8. com
9. do/do
10. com
11. contigo
12. com
13. de
14. com
15. a
16. com
17. com
18. de
19. a
20. a

50.2.

1. cansado de
2. chocado com
3. cheios de
4. acostumada a
5. dependente dos
6. impressionados com
7. relacionadas com
8. desiludidos com
9. difícil de
10. contente com

50.3.

2. habituada a pôr pouco sal na comida.
3. preocupados com os filhos.
4. cheio de turistas.
5. diferente da tua.
6. difícil de encontrar.

Unidade 51

51.1.

2. mais antiga do que o museu
3. mais caras do que as minhas
4. mais frio do que ontem
5. mais novo do que o irmão
6. maior do que este
7. mais rápido do que o autocarro
8. mais baratos do que aqueles
9. mais baixa do que a Rita
10. mais cedo do que tu

51.2.

2. maiores
3. mais fácil
4. melhor
5. mais perto
6. pior
7. mais comprida
8. mais leve
9. mais magra
10. mais alto

51.3.

2. maior
3. melhor
4. mais cedo
5. pior
6. mais simpático

51.4.

2. não é tão grande como Espanha
3. não joga tão bem como ele
4. não está tão quente como o leite
5. não come tão depressa como ele
6. não é tão alto como a Natacha

Unidade 52

52.1.

2. cedíssimo
3. gordíssimo
4. fortíssima
5. atrasadíssimos
6. pesadíssima
7. duríssimo
8. quentíssima
9. dificílimo
10. ótimo
11. gravíssimo
12. caríssimos

52.2.

2. as melhores
3. a mais antiga
4. a maior
5. o pior
6. a mais bonita
7. o mais alto
8. as mais doces
9. o mais interessante
10. o mais popular

52.3.

3. o homem mais rico
4. o dia mais feliz
5. a rapariga mais bonita
6. o maior rio
7. os melhores alunos
8. o político mais popular
9. o pior discurso
10. a atriz mais famosa

Unidade 53

53.1.

1. tanto
2. tão
3. tão
4. Tantos
5. tanta
6. tão
7. tão
8. tantas
9. tão
10. tanto
11. tão
12. tanto

53.2.

2. tão mau
3. empregado tão simpático
4. Que bolo tão bom
5. Que jantar tão caro
6. Que festa tão divertida
7. Que amigos tão simpáticos
8. Que sofá tão confortável

53.3.

1. tão
2. tanto
3. tão
4. tão/tanta
5. tanta
6. tantas

53.4.
2. Estou com tantas dores que vou tomar um comprimido.
3. O professor fala tão depressa que não compreendo nada.
4. O dia ontem esteve tão quente que fomos até à praia.
5. A Dora estudou tanto que ficou com dores de cabeça.
6. Fizeste tanto barulho que acordaste o bebé.
7. Ele comeu tanto que não consegue levantar-se.
8. Ela sentiu-se tão mal que o marido chamou o médico.

Unidade 54

54.1.

1. há
2. há
3. desde
4. há

5. desde
6. há
7. há

8. há
9. desde
10. desde

54.2.

2. no Porto desde janeiro
   no Porto há oito meses
3. desde segunda-feira
   há 5 dias

4. desde as 7h00
   há cinco horas
5. desde o dia 1
   há 15 dias

54.3.

1. desde/há
2. há/desde
3. há/desde
4. há/desde
5. desde/há

54.4.

1. Não leio o jornal desde ontem
2. Chegámos há cinco minutos
3. Estudo português desde 1992
4. Vivo aqui desde dezembro
5. A estreia foi há quinze dias
6. Estou à espera há duas horas
7. Estou à espera desde as 14h00
8. Não ando de avião desde os cinco anos
9. Não ando de avião há cinco anos